TURŞU
ERİŞTE
ŞTE
MADEN Suyu
REÇEL
PİL
Çikolata

Dünyanın en süper marketi

DEDEMİN BAKKALI

ŞERMİN ÇARKACI

Resimleyen: Mert Tugen

KAYA
BAKKALİYESİ

Bu kitapta anlatılan olayların tamamı **gerçektir.**

Ama belki de **değildir.**

Belki de birazı gerçek, birazı değildir.

Kahramanların tamamı hayal ürünüdür,

ama belki de değildir.

Yani **bir kısmı** gerçek olabilir, birazını uydurmuş olabilirim. Yani belki de gerçek kahramanların gerçekleri okuyup kızmasından korkuyor olabilirim.

O yüzden gerçek değiller diyorum.

Yani işte anlarsın, şimdi bir dünya laf edecekler, yok beni niye öyle anlattın, yok ben sana öyle mi yaptım, yok ben sana öyle dememiştim, falan...

En iyisi hiçbirisi gerçek değildir diyelim.

Hıı hıı hepsini ben uydurdum, onlarla hiç alakası yok...

Gerçekten yok.

Hepsi kurgu.

Ciddiyim bak!

Hem böyle bakkal çırağı mı olur?

Değil mi?

HİÇ!

DEDEMİN BAKKALI

Yazan:
Şermin Çarkacı

Resimleyen:
Mert Tugen

Genel Yayın Yönetmeni:
Zeynep Sevde

Editör:
Saide Nur Dikmen

Grafik Tasarım:
Büşra Çakmak

İlk Okuyucu:
Ahmet Sinan Arı

1. Basım: Kasım, 2016, 20 bin adet
2. Basım: Kasım, 2016, 20 bin adet
3. Basım: Şubat, 2017, 20 bin adet
4. Basım: Mayıs, 2017, 20 bin adet
ISBN: 978-605-84228-4-1

Taze Kitap Yayıncılık Tasarım Reklam ve Org. Hiz. Ltd. Şti.
Yayıncı Sertifika No: 32160
Beylerbeyi Mah. Beylerbeyi Küplüce Yolu Sok. No: 38/7
Üsküdar / İSTANBUL
Tel: 0216 401 17 17 e-posta: bilgi@tazekitap.com

Baskı ve Cilt:
İmak Ofset
Merkez Mh. Atatürk Cad. Göl Sk. No: 1
34192 Yenibosna / İSTANBUL
Tel: 0212 656 49 97 Sertifika No: 12531

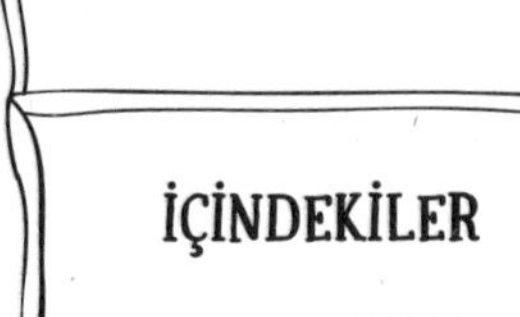

İÇİNDEKİLER

Bu kitabın yazarı 1982 doğumlu ama henüz büyümedi. Sanki hâlâ çocukluğunda yaşıyor. En sevdiği şeyler: Oyun oynamak, masal dinlemek, hikayeler uydurmak, sokakta gezmek, büyükleri sinir eden gıcık gıcık şeyler yapmak... Sevmediği şeyler: Çikolatanın bitmesi, birinin "içine atlet giy" demesi, tam bir şeye dalmışken birinin yemeğe çağırması, herkesin her zaman saçma sapan kural koyabilmesi, her şeyin yetişkinlerin hakkı olması, hep onların haklı olması falan...

Korkuları: Hamam böcekleri ve çatık kaşlı büyükler...

Hayalleri: Ohooo, yazmakla bitmez...

Çocukları: Tuna, Mete, Name, bir de kendisi...

Kitapları: Başlarım Şimdi Anneliğe, Oyuncu Anne, Çok Hayal Kuran Çocuk, Oyun Takvimi, Kötü Alışkanlıklara İyi Öneriler...

Dedelerime...

YIL
1992

Dostum, bu bir yetişkin sorusudur. Eğer etrafında, kendinden küçüklerle nasıl konuşması gerektiğini bilmeyen yetişkinlerden fazlaca varsa, bu ve bunun gibi sorulara alışsan iyi edersin. Çünkü cevabını alana kadar gitmezler...

Bu yetişkinlerin, çocuklarla nasıl konuşulması gerektiğine dair fikirleri yoktur. Neler söyleyeceklerini, nasıl sohbet edeceklerini bilemezler.

Zannederler ki, kendileri çok zekiler, bizler de işte hiçbir şeyden anlamayan zavallı insan yavrularıyız.

O yüzden bize "nasılsın?" diye bile soramazlar. Bizimle sohbete, "Bugün acayip soğuk var ha, kış geldi" gibi bir cümleyle başlamazlar. Sorunlarını, hayallerini, sıkıntılarını, yapmak istediklerini, başardıklarını anlatmazlar. Garip bir şekilde anlamayacağımızı düşünüyorlar. O yüzden bizimle karşılaşan yetişkinler, bize, güya seviyemize uygun sorular sorarlar. Yetişkinlerin suyuna gitmemiz gerektiğini öğreneli çok olduğundan, biz de içimizden başka, dışımızdan başka cevaplar veririz.

Soru: Okul nasıl?

Dışımdan verdiğim cevap: İyi.

İçimden verdiğim cevap: Valla okul dört katlı, güzel bir bina. Konforlu. İyi düşünülmüş. Öğrenci ihtiyaçlarını karşılıyor. Yalnız koridorlar biraz dar bırakılmış...

Soru: Kaça gidiyorsun?

Dışımdan verdiğim cevap: 8'e.

İçimden verdiğim cevap: Bedava, devlet okulu.

Para vermiyoruz. Her ay bir tomar para verip gidenler var...

Soru: Amma büyümüşsün, çok mu yemek yedin?

Dışımdan verdiğim cevap: Yok.

İçimden verdiğim cevap: Hııı, çok yemek yedim. Yedikçe büyüyeceğim, büyümek sadece yemekle orantılı çünkü. Yiye yiye büyüyeceğim...

Soru: Büyüyünce ne olacaksın?

Dışımdan verdiğim cevap: Doktor.

İçimden verdiğim cevap: Yahu ne bileyim... Kariyer planı lise yıllarında yapılıyor. İnsan sevdiği işi yapmalı. Onu da henüz bilmiyorum. Göreceğiz yıllar içerisinde...

Bu, yetişkinlerin son sorusudur. Buradan öteye gidemezler. Çocukla iletişim orada kesiliyor. Ama insanın aklında derin bir iz bırakıyor bu son soru.

Doktor mu olsam? Mühendis mi yoksa? Mühendis ne yapar, onu da bilmiyoruz ki...

Öğretmen mi olsam yaa? Polis olayım polis! Yoksa gazeteci mi olsam? Futbolcu?

Şarkıcı? Oooo bu çok iyi yaaa! Filmlerde mi oynasam? Tiyatrocu olayım, en güzeli... Berber mi olsam?

Aman yaaa, hakikaten,
BÜYÜYÜNCE ne olacağım ben?

Dünyanın En Süper Mesleği

"Büyüyünce ne olacaksın?" sorusu yetişkinler için çok önemliydi. Karşılaştığım her on yetişkinden dokuzu aynı soruyu soruyordu. Onlara tatmin edici bir cevap vermem gerekiyordu.

Öyleyse en doğru mesleği bulmalıydım.

Etrafımdaki yetişkinleri izlemeye başladım.

Yaptıkları iş, sıkıcılık durumları, işlerini sevip sevmedikleri, kazandıkları para, bana fikir verecekti. Bir liste hazırladım.

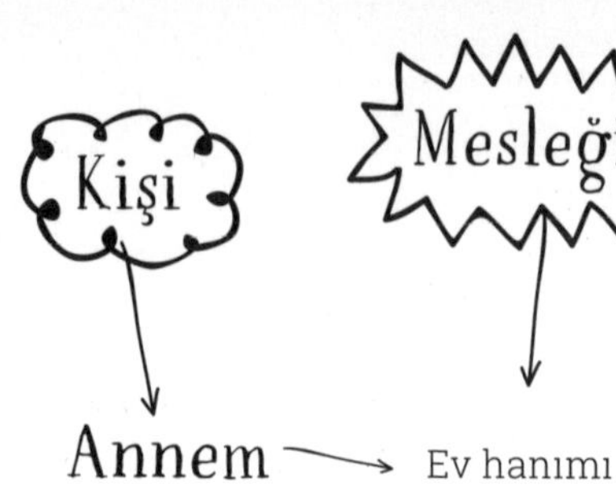

Annem → Ev hanımı → Bütün gün evde. Çok sıkıcı.

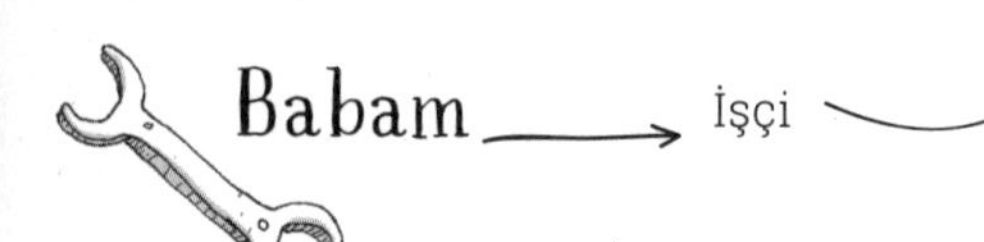

Babam → İşçi → Her gün aynı saatte gidip aynı saatte geliyor. Çok sıkıcı.

Dayım → Öğretmen → Her yıl aynı dersi anlatıyor. Değişik bir şey yok.

Fikret Amca → Polis → Aksiyonu bol, can güvenliği YOK.

Dedem 1 → Kahveci → Güzel iş. İnsanların dinlenmek için geldiği yeri bizzat sen işletiyorsun. Eğlenceli.

Dedem 2 → Bakkal → Hiç sıkıcı değil. Sürekli insanlar gelip gidiyor. İstediğin her şeyi istediğin zaman yiyip içebilirsin. Bakkalda satılan oyuncaklarla oynarsın. Kimse "parasını ver!" demez. Hepsi zaten senin. İstediğin insana istediğini satarsın, istemezsen satmazsın. Böylece herkes seninle iyi geçinir. İstediğin zaman bakkalı kapatır, çeker gidersin. Kimse sana nereye gittin demez. Bütün gün oturduğun yerde gazete okursun. Herkes olan biteni sana sorar.

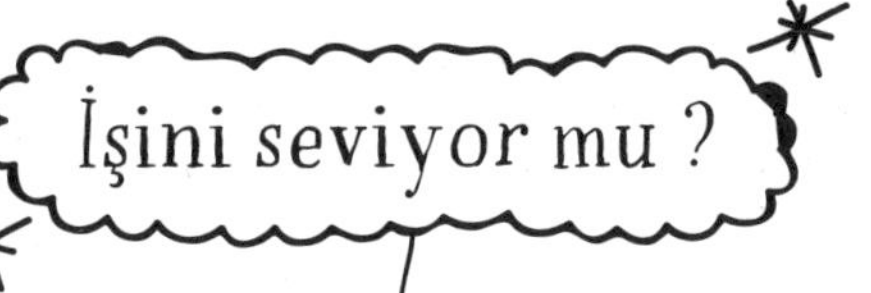

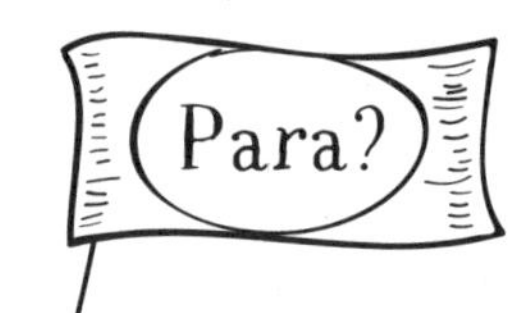

Bıktım bu işlerden dediğine göre sevmiyor.

Sıfır.

Boğaz tokluğuna çalışıyor.

Çok yorgun.

"Öldüm bütün gün iş yerinde" dediğine göre işini sevmiyor.

Zar zor geçiniyoruz.

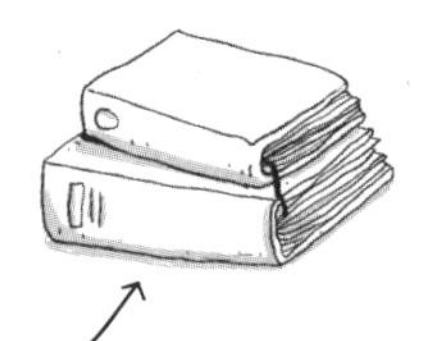

Çok şikâyetçi.

"Öğrenciyle uğraşmak zor iş" diyor.

Ne zaman para muhabbeti olsa, "memurum ben" diyor.

Demek ki iyi değil.

İşini seviyor, ama üniformaya gıcık oluyor.

Para durumu, dayımla aynı.

Hayır.

Bütün işi çırak yapıyor. Elinde sadece kendi içtiği çay bardağını tutuyor. Kimseye çay dağıtmıyor.

Çay çok ucuz. Kâr edebilmesi için her gün yüzlerce çay içilmesi lazım. O yüzden kazançlı bir meslek değil.

İşini seviyor. Yoksa sabahın altısında bakkalı neden açsın. Sevmese yatar, uyur.

Acayip para var. Kasa sürekli dolu.

Oh! Fıstık gibi iş.

O gün kararımı verdim. Yapabileceğim tek meslek:

Bakkalcılık!

Beş dakika sonra dikildim Bakkal Dedemin karşısına. Beklemenin bir anlamı yoktu. Büyüyünce dedem de bakkal olurdu. Marifet büyümeden bakkal olabilmekti.

"Ben de bakkal olmak istiyorum. **Çırak lazım mı?**" dedim dedeme.

"Çırak lazım da, senden çırak olur mu onu görelim önce" dedi.

"Senin yaptığın her şeyi yapabilirim. Ürünlerin üzerinde fiyatlar yazıyor. Gelene ne istediğini sorarım, istediğini veririm, poşete koyarım, para üstünü veririm, fişini keserim. Bitti. Bunu mu yapamayacağım?" dedim.

"Pek kolaymış. Çırak olma sen, doğrudan bakkal ol bari" dedi.

"Sahi mi? Olurum. Hemen. Ne yapmam gerekiyor?"

"Bakkalın önünü süpür" dedi.

Koltuğundan kalkıp, "Geç evladım. Ben de seni

bekliyordum. Yoruldum ben bu meslekten. Artık köşeme çekileceğim, sen burayı çekip çevirirsin" demesini bekliyordum.

Kapı önü süpürme görevi verdi.

Olsun.

Kafaya koydum.

Sıfırdan başlayacaktım.

Bakkal Dedem

Burası bir köy bakkalı. Senin bildiğin o büyük ve içinde market arabasıyla dolaşabildiğin marketlere hiç benzemeyen, tek bir odadan oluşan, küçücük bir köy bakkalı. Hayallerimde burayı büyütmek var. İşler planladığım gibi giderse, birkaç yıla varmaz, üst katına bir kat daha çıkar, mekânı genişletirim.

Sokaktan içeriye üç merdiven çıkarak giriyor ve

girer girmez yassıltılmış bir karton kutunun üzerine basıyorsun. Çünkü, ayaklarındaki kiri, çamuru, ıslaklığı buraya silip öyle girmen lazım içeriye.

Şimdi diyeceksin ki, neden paspas yok?

Birincisi köyde paspas bulman zor olabilir. İkincisi, her gün bir de paspas temizleme işin çıkar. Üçüncüsü, bakkalda her gün en az üç tane yeni kutu açılır ve bu kutuların mutlaka değerlendirilmesi gerekir. O koliler arka bahçede duvara asılmış bir büyük çuvalın içinde birikir ve işte böyle paspas olarak kullanılır.

Bir de kullanılmayan kutular var. Yani küçük olanlar. Sakız, bisküvi, çikolata kutuları. Onları değerlendiremiyorsun. Çok da birikiyor. O yüzden onları küçük parçalara ayırıp yakmamız ve imha etmemiz gerekiyor. Bir keresinde, kutuları yırtarken içinden üç tane bozuk para buldum. Tam üç tane... Dedem, o paranın benim olabileceğini söyledi. Kutuların arasına yanlışlıkla düşmüş. Bakkalda olurdu böyle şeyler. Çok sevindim.

O günden sonra, çok sıkıcı olan bu işi sırf o paralardan tekrar bulabilmek için azimle ve zevkle yaptım. Bir daha ASLA para bulamadım. Şansım mı yaver gitmiyordu, yoksa dikkatsiz mi davranıyordum? Yoksa bu para meselesi dedemin bir numarası mıydı? İlk seferinde çuvala para koy, bulsun, sevinsin ve kaza süsü ver... Bundan sonraki tüm görevlerde para bulma ümidiyle işi sıkılmadan yapsın! Çok akıllıca.

Yetişkin milleti böyledir, kafaları kurnazlığa çalışır. Bıyık altından "Heheheheh! Nasıl da yutturdum numarayı, para bulurum diye nasıl ayıklıyor bak kutuları hehhehe!" diye baktığını biliyordum. Ama dedeme olan saygımdan, sevgimden ve ustama olan hürmetimden yüzüne vurmuyordum... Yetişkinlerle mücadeleyi böyle böyle öğrenecektim.

O gün bakkaldan bir defter aldım. Defterime,

"Çocukların Yetişkinlerle İletişimde Dikkat Etmesi Gereken Hassas Konular"

ismini verdim ve ilk maddeyi yazdım.

I. MADDE

"Yetişkinlerin çocuklara yaptıkları haksızlıkları, hataları görebilirsin. Yine de yüzlerine vurma. İnanmazlar. Çocuksun, görmezden gel. Bırak kendilerini dünyanın en zeki insanları sansınlar..."

Bakkal Dedemi tanıtayım. Olur da bir gün bu yazdıklarımı eline geçirebilir diye doğruları çok yazamayacağım. Orta boylu, bıyıklı, azıcık göbekli, çok sevimli, çok aşırı sevimli, çok iyi kalpli, harika bir dede. O kadar anlayışlı bir dede ki onun gibi bir dedem olduğu için çok şanslıyım. İnşallah bu sayfalar eline geçer ve okur. Onu ne kadar çok sevdiğimi anlar böylece.

Eğer okursa dikkat etsin, bak, ne kadar sinirli, ne kadar öfkeli, ne kadar gıcık biri olduğundan hiç bahsetmedim. Gözlerini **patlata patlata** bana nasıl baktığından, olur olmaz her şeyde hemen "evladım sen niye böylesin, sen kime çektin" diye bağırmasından, ben konuşurken sürekli kaşını gözünü oynatıp beni susturmaya çalışmasından hiç söz etmedim. Tüm bu özelliklerinin yanında çok acayip gür kaşları ve bıyıkları var. Arada cebinden bir tarak çıkartıp bıyıklarını ve kaşlarını tarıyor, o zaman ona çok gülüyorum ama belli etmiyorum.

Bir de bence sihirli güçleri var. Gazete okurken gazeteyi indirmediği halde benim ne yaptığımı, bakkala kimin girdiğini, kimin çıktığını bilebiliyor. **Süper dede midir nedir?**

Bir de **Kahveci Dedem** var. Ondan da ara ara bahsedeceğim. O da köy kahvesini işletiyor. Kahvehane ile bakkalın arası koşarak 90, yürüyerek 120 adım. Bütün günüm ikisinin arasında geçiyor.

Kahveci Dedem, acayip bir dede. Dünya yansa umurunda olmaz. Bütün gün kendi kahvehanesinde çayını içer, tespih çeker, gelene geçene laf atar ve güler. Ama ben böyle olduğu için onu çok seviyorum. Ne zaman Bakkal Dedeme sinirlensem, Kahveci Dedemin yanına gidiyorum. Tam şikâyet edecek oluyorum, tam "Ne yaptı bana biliyor musun" diye acıklı acıklı anlatacak oluyorum;

"Booşşşşveeeeeeerrr.
Kap bi' bardak oralet" diyor.

Oralet dünyanın bütün dertlerini siliyor sanki, buna inanıyor. Ama gerçekten de işe yarıyor. Oraletimi içerken sinirim geçiveriyor. Tekrar koşa koşa bakkala gidiyorum. Sinirlenince tekrar kahveye gidiyorum. Hayatımın böyle geçip gitmesinden çok endişeliyim.

Çalışma Saatlerim

Bakkal Dedem bakkalı sabahın altısında açıyor. İlk başlarda onun bunu mesleğini çok sevdiği için yaptığını sanıyordum. Yanılmışım.

Sabahları altıda ekmek geliyor, fırıncı ekmekleri dağıtıyor ve dedem de mecburen bakkalı açıyor. İşe başladığım ilk hafta ben de sabah altıda bakkaldaki yerimi aldım.

"Sen niye geldin yav?" dedi dedem.

"Ne demek niye geldim, çırak değil miyim, kaçta başlıyorsa mesai, o saatte geleceğim" dedim.

Fakat sonraları bu saçma fikrimden vazgeçtim. Çünkü saat sekize kadar müşteri falan gelmiyor. Dedem de iki saatini koltukta horlayarak geçiriyor.

Bakkalda, içinde bir çuval toz şekerin bulunduğu bir sandık var. Rengi gri. Bu sandığın ismi de şeker sandığı... Müşteriler şeker istedikleri zaman bu sandığın içinden poşetlere şeker dolduruyoruz.

Dedem koltukta oturduğu için ben de şeker sandığının üstünde oturuyorum. Bazen şeker sandığının üstünde hayallere dalıyorum. Bunun sihirli bir sandık olduğunu, içine gülme tozu attığımı, bizden şeker alan herkesi bir gülme tuttuğunu, bu şekerle hoşaf yaptıklarını, bütün köyün **kıkır kıkır** güldüğünü hayal ediyorum.

Ama dedemin horultusu bu hayalleri engelliyor. Ağız tadıyla hayal bile kurdurmuyorlar adama.

İlk hafta düzenli olarak erkenden gittim ama sonradan vazgeçtim. Saat dokuzda iş başı yapmaya başladım. Devlet memurları da sonuçta 9'da gidiyor.

Öğlene kadar dedemle birlikte bakkalda oturuyorum. Dedem öğlen saatleri ortadan kayboluyor.

"Bir şey olursa evdeyim" diyor.

Bir insan NEDEN eve gitmek ister ki? Şahsen ben hiç istemem. Sokakta gezmek, dolaşmak, oynamak varken yetişkinlerin bu eve gitme tutkusunu anlayamadım gitti.

Bir gün bakkalı kapatıp gidip baktım. Çok merak ediyordum, öğle saati bir saat boyunca evde gerçekten ne yaptığını... Uyuyormuş! İnanamadım. Zaten saat altıda uyandın, sekize kadar da bakkalda uyudun, kalk git 12'de de evde uyu! Yetişkinlerin bu uykulu hallerine deli oluyorum. Bıraksan tüm gün uyuyacaklar... Şahsen benim başımda "Hadi yat da uyu artık" diye her gece söylenen bir annem olmasa, hayatta uyumam.

Öğlen 1'de uyanıp camiye gidiyor. Camiden çıkınca kahveye gidiyor. O arada bakkala uğrayıp biraz bana kızıyor, söyleniyor, bir şeyler yapıyor. Sonra ikindi için tekrar camiye gidiyor, sonra tekrar kahveye, sonra tekrar biraz azar, biraz "Nödön bonu böyle yapton?" diye söylenmeler... Nihayet saat akşam 5 gibi, "Sen artık gidebilirsin" diyor.

Mesai saatlerimden memnunum. Ama o kadar çok abur cubur yiyorum ki, midemin buna alışması kolay olmayacak gibi. Kendimi frenlemeye çalışıyorum. "Sakin ol, hepsi senin, istediğin kadar yiyebilirsin, önünden almıyorlar" diyorum ama yine de olmuyor. Şeker sandığının üstünde otururken ilerleyen saatlerde neler yiyeceğimi hayal ediyorum...

Bu hayalle yaşadığım için, dedem bakkaldan çıkar çıkmaz yiyeceklere saldırıyorum. Önce şekerli şeyler yiyorum, sonra midem bulanıyor, midemi bastırması için tuzlu şeyler yiyorum, sonra susuyorum, gazoz içiyorum, sonra tekrar şekerli şeyler ve tekrar tuzlu, sonra tekrar gazoz...

Dedem anneme tembihlemiş, "Çok abur cubur yiyor, evde yemek yemez sonra" demiş. Söylemiştim, gizli güçleri var. Yediklerimi o bakkalda yokken yediğim hâlde, bu kadar çok yediğimi bilmesi imkânsız.

Yiyip içtiklerimin ambalajlarını bakkaldaki çöp kutusuna atıyordum. Bir gün dayım geldi. Dayım dedemin oğlu olduğu için bakkalda acayip söz sahibidir. Hemen dedemin koltuğuna oturup gözlerini çöp kutusuna dikti.

"Amma çok şey yemişsin, cips, çikolata, gofret, gazoz, sakız, kuruyemiş...." diye saydı.

Arkamda aşırı derecede iz bırakmıştım ve farkında değildim. Demek ki, dedem de çöp kutusunu takip ediyordu. O günden sonra bütün yediklerimin ambalajını, bakkalın önündeki çöp kutusuna attım. Böylece ne yediğimi artık kimse bilemeyecekti!

Defterimi çıkartıp küçük bir not düştüm. Bu madde olacak değerde değildi, ama olsun.

"Aslında biz çocuklar gayet dürüst insanlarız. Yaptıklarımızı gizlemeye, gizli işler çevirmeye bizi kendileri sevk ediyorlar. Sonunda bizi de kendilerine benzetecekler..."

Bir köy bakkalında **her şey**, ihtiyaç duyabileceğin her şey olmak zorundadır. Ne kadar çok şey bulundurur ve ne kadar az müşteri geri çevirirsen o kadar **iyi** hizmet vermiş olursun. O yüzden ihtiyaçlarını iyi belirlemen ve tedarik etmen gerekir.

Bakkala girince sağ tarafta bir sürü cipsin olduğu kocaman bir cips dolabı var. Eskiden, yani henüz cipsler üretilmeden ve satışa sunulmadan önce burada bir bank vardı ve gelen müşteriler bu bankın üzerine oturup bizimle sohbet edebiliyorlardı. Hem de diledikleri kadar... Bazı müşteriler o kadar uzun zaman oturuyorlardı ki onlara gazoz ısmarladığımız bile oluyordu.

Dur bir dakika. Oraya mı takıldın?

Evet cipsin olmadığı bir zaman

dilimi vardı tabii ki. Eskiden çocuklar asla cips gibi şeyler yemiyorlardı. Sanıyorum tek bildikleri abur cubur biraz bisküvi, biraz sakız ve belki birkaç çeşit kuruyemişti.

Sonunda cipsler üretilmeye başladı. Çeşitleri arttı ve onları sergileyecek kocaman bir dolaba ihtiyacımız oldu. O yüzden müşterilerin oturduğu bankı kaldırdık ve yerine cipsleri koyduk. Böylece gazoz ısmarlamaktan kurtulduk ve insanlar ayakta kaldılar.

Kapının sol tarafında içecek dolabı var. İçecek dolabında şişeleri her zaman düzenli bir şekilde dizmen ve asla boş bırakmaman gerekir. Çünkü orada insanlar ne kadar çok içecek görürlerse o kadar çok içmek isterler ve bu da daha çok satış yapmak demektir.

İçecek dolabında su satmıyorduk o yıllarda. Suyu çeşmeden içiyorduk. Bakkala gelip de susadım diyen olursa - ki zaman zaman olurdu böyle şeyler, bir bardak su veriyorduk o kadar. İçecek dolabında öyle çok içecek de yoktu üstelik. Gazoz, meyve suyu, maden suyu... **Bu kadar!**

Gazozları gençler, meyve sularını çocuklar, maden sularını da yaşlılar içiyordu.

Mesleğe başladığım ilk haftaydı. Mevsim yaz. Dışarısı çok sıcak. Yanıyor herkes. İçecek dolabına şişeleri yerleştiriyor, boş şişeleri kasalara diziyorum. Bir çocuk geldi, meyve suyu istedi, verdim.

"Şeftali mi, vişne mi, kayısı mı?" dedim.

"Fark etmez" dedi.

"Nasıl fark etmez, hiç mi damak zevkin yok" demedim. Müşteriye kafa tutulmaz.

"O zaman şeftali iç" dedim, şeftali suyu verdim.

Sonra Salih Amca geldi.

"Ver oradan bana bir şişe **midem suyu**" dedi.

Gülerek uzattım maden suyu şişesini.

Müşterilerin iğrenç esprilerine, "Bu ne iğrenç espri Salih Amca, bir daha duymayayım" denmez, mecburen gülünür. Hatta ileri gidip "Midem suyu mu? Maden suyu-midem suyu... Ne hoş bir kelime oyu-

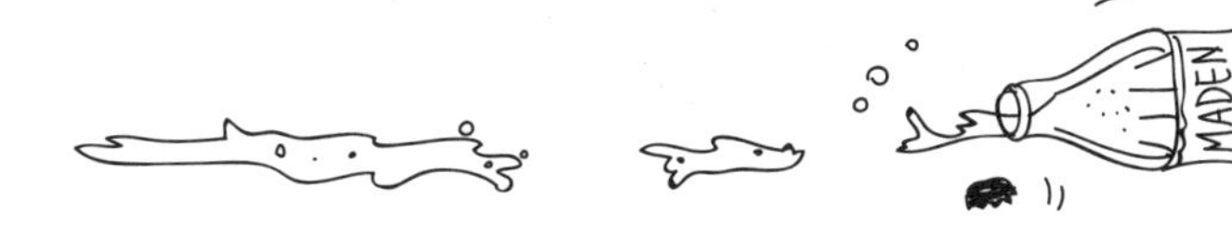

nu Salih Amcacım, hahahaha" gibi gurur okşayıcı sözler de söyleyebilirsin.

Ama ben sevmem, bu kadarı fazla. Espri güzelse gül, değilse **gülümse geç!**

Salih Amcadan sonra Metin Abi geldi, gazozunu aldı, açtı gitti. Genç müşteriler iyidir. Kendi işlerini kendileri görür. O içecek dolabının yanına gazoz açacağı koyduk. Gelip gazozlarını alıyor, açıyor, içiyor, boşunu koyuyor, parasını verip gidiyorlar. **Temiz müşteri!**

Metin Abi de gitti. Yarım saat sonra Hatice Abla geldi.

"Çok fena içim yandı, ne içeyim?" dedi.

Kararsız müşteriler cenneti! Sen bilmiyorsun, ben mi bileyim?

"Gazoz" dedim.

"Ay asitli içmem" dedi.

"Maden suyu" dedim.

"Sevmem, **nine miyim ben?**" dedi.

"Ne alakası var, o zaman meyve suyu iç" dedim.

"Meyve suyu içecek olsam, ev komposto dolu" dedi.

Dolaba baktı, baktı, baktı, baktı...

"Sen bana bir kilo toz şeker ver, bir paket de un" dedi.

"İçin yanmış, bi de **helva** mı kavuracaksın Hatice Abla?" dedim.

"Ay yok ayol, zaten alacaktım onları. Ay ne âlem çocuksun" dedi gülerek.

Nesi komik anlamadım. İçi yanmış, hiçbir şey beğenmeyen, orta yaşlı Hatice Ablayı memnun edemedim o gün.

O gittikten sonra şeker sandığının üstüne oturup düşünmeye başladım. **Ticarette müşteriyi memnun etmek esastı.** Ama Hatice Ablayı edememiştik. Kendini gazoz içecek kadar genç, maden suyu içecek kadar yaşlı hissetmeyen müşteriler olabilirdi. Onları Hatice Abla gibi geri mi çevirecektik? **Onlara da bir içecek lazımdı.**

O gün karışımlar hazırlamaya başladım. Doğru formülü bulana kadar birkaç şişe içeceği ziyan etmem gerekeceğinden dedemin camiye gitmesini bekledim. Gider gitmez, şişeleri önüme aldım. Gazozla meyve suyunu, maden suyuyla gazozu karıştırdım. Kayısıyla gazozun karışımını tatsan bir daha bakkala uğramazdın. Hiçbiri bir şeye benzemedi. Ama maden suyuyla vişne suyu harika oldu. Şekeri biraz azdı, iki de kesme şeker attım.

Dehşet! Muhteşem! Çok harika!

Ben beğendiysem herkes beğenir, diye düşündüm. Bütün yaz bunu satıp köşeyi dönebilirdik. Çok sa-

tarsak, çok paramız olursa bakkalı genişletirdim. Dedemi bu küçücük bakkaldan kurtarır, efsanemi yazardım:

Vişneli soda!

Ambalajının üstüne "Maden suyu ile vişne suyunun mükemmel uyumu" yazardık.

Reklamları izlemeye, reklam kâğıtlarını, ürün ambalajlarını okumaya bayılırdım.

En sevdiğim slogan Trakya Birlik yağ tenekelerinin üzerinde yazıyordu:

"Trakya Birlik, Üreticiye ve Tüketiciye Hizmet..."

Ürüne bak, slogana bak. Hem üreticiye hizmet, hem tüketiciye... Daha ne olsun? Benim ürünüm de böyle olacaktı işte. Orta yaşlılar vişneli sodaya bayılacak, genci yaşlısı bunu içecekti.

Dedemin cuma namazından dönmesini sabırsızlıkla bekledim. Gelmedi. Uzadıkça uzadı süre. Üç bardak vişneli soda içtim. Gelince o da tadacak ve beni tebrik edecekti. Sonunda camiden çıktı. Karşıdan bana el işaretiyle, "Ben kahveye gidiyorum" dedi.

"Haydaaaa, ne kahvesi, çabuk işinin başına gel" demek istedim ama dedelere böyle şeyler söyleyemiyorsun. Heyecanımdan bekleyecek halde değildim. Söylemiştim, kahvehaneyi de zaten diğer dedem işletiyordu. Arada orada da çalışırdım.

Bir köyün en kalabalık mekânı köy kahvesidir. Bir sürü aylak adam bulunur. Aklıma süper bir fikir geldi. Ben bu harika icadımı dedelerime kahvehanede tattırabilir ve bir sürü insanı bu muhteşem içecekle tanıştırabilirdim. Gözümde hemen masalarda vişneli soda içen insanlar canlandı. Çok akıllıcaydı. Bardağı alıp kahveye gittim.

Kahveci Dedemle karşılaştık. Elimdeki bardağı görünce, "Dışarıdan içecek getirmiyoruz genç" dedi.

Şakacı!

"Torununum ben senin, unuttun mu? Daha bu sabah gazeteni, gözlüğünü, suyunu getirdim, üç kere bakkala yolladın, iki kere camı kapattırdın" dedim.

Gözleri açıldı, şaşırdı.

"Bunları mı sayıyorsun sen evladım?" dedi.

"Sayıyorum tabii, karşılığında bir oraletini içerim" dedim.

"Üçkağıtçı" dedi ama önümden çekildi.

Bakkal Dedemin yanına gittim. Ağaç altında Kemal Dayıyla gazete okuyor. Ne gamsız bakkal... Sanki benim bakkal dükkânım. Buldu benim gibi çırağı, aheste aheste namaz kılsın, kahveye gitsin, gazete okusun, ohhhh!

Hırslandım ama olay çıkartmanın yeri değildi. Daha önemli bir konumuz vardı. Kahveci Dedemi de çağırdım. İkisi de bana bakıyordu.

Bakkal Dedeme, "Benim harika bir fikrim var. Maden suyuyla vişne suyunu karıştırdım. Harika oldu. Bunu satalım bütün yaz. Köşeyi döneriz" dedim.

Önce bardağa baktı, sonra bana.

"Kahveci miyiz biz? Biz şişeyle satıyoruz. Müşteriye bardakla içecek mi satılır? Kahveci Deden satsın" dedi.

Doğru bak, bunu düşünmemiştim. Bardakta satarsak kahveci olurduk... Kahveci Dedeme döndüm. "Sen sat. Çok acayip zengin olursun" dedim.

Her zamanki gamsız tavırlarıyla elini cebine sokup, "İkisini ayrı ayrı satarsam daha zengin olurum" dedi.

Soluğumu burnumdan alıyordum. Bütün samimiyetimle, "Yaaaavvvv siz ticaretten niye hiç anlamıyorsunuz?" diye bağırdım.

Bakkal Dedem karşı atak yaptı. Çok basit bir soru sordu:

"Bakkalda kim var?"

"Kimse yok" dedim ama cevabı bakkala doğru koşarken verdim.

Bakkalın kapısını açık, tezgahı da boş bırakıp çıkmıştım ve kahvede dedelerimi "ticaretten anlamamakla" suçluyordum.

Muhteşem içeceğim o gün o masada kaldı. İçtiler mi, döktüler mi, bilmiyorum.

Bakkala dönünce kendi kendime çok söylendim. Bakkalı açık bırakıp gitmek büyük hataydı.

Ama asıl hata, insanları bu kadar düşünüyor olmamdı.

"Sana ne" dedim kendime. Bakkal Dedem geri çevirsin müşteriyi, Hatice Abla içecek bir şey bulamasın, Kahveci Dedem çay satsın, oralet satsın...

Sana ne? Sen rafa ürünü diz geç, sen ne karışıyorsun bunların ticaretine?

O sinirle, tezgahın altından "Çocukların Yetişkinlerle İletişimde Dikkat Etmesi Gereken Hassas Konular" başlıklı defterimi çıkarttım ve ikinci maddeyi düştüm:

2. MADDE

"Yetişkinlere fikir verme.

Onlar her şeyin en iyisini bilir.

Karışma işlerine.

Gün gelir meyveli soda en çok satan

içeceklerden biri olur,

o zaman senin değerini anlarlar."

Mustafa Abi

İçecek dolabının bittiği yerin yanındaki alanda raflar başlar. Bu raflarda salçalar, reçeller, ballar ve ekmeğe sürdüğümüz çikolatalar bulunur. Kavanozdaki krem çikolatanın kapağını açtığında çikolataya hemen kavuşursun...

Bir gün krem çikolataları raflara dizerken aklıma dâhiyane bir fikir geldi. İnsanlar bu kavanozları açtıklarında çikolatayı görüyorlar ve çok seviniyorlar. Eğer bu kapakları açtıklarında küçük notlarla karşılaşırlarsa daha da mutlu olurlar, mutlulukları ikiye katlanır diye düşündüm. Böylece daha çok mutlu olmak için daha çok çikolata alırlar ve biz de köşeyi döneriz. Sonra da bakkalı büyütebiliriz! Bu fikir aklıma yattı.

Çikolataları raftan yeniden indirdim ve kapaklarını açtım. Kibrit çöpünün arkasıyla çikolatanın üzerine kazıyarak "Afiyet olsun!" yazdım. Benim için

muhteşem bir görevdi. Görevi tamamladım. Yarın bu çikolatalardan alıp kahvaltı masasına oturan herkesin yüzüne bir gülümseme yayılacak ve bu mutluluk dalga dalga yayılacaktı.

Ertesi sabah dedemin yanında gururla yerimi aldım. Sıkı bir tebriği hak etmiştim, ama henüz bilmiyordu. İçeriye giren mutlu insanları görünce ne olduğunu anlayacaktı. Derken ilk müşteri geldi, elinde yarım kavanoz çikolata taşıyordu.

"Vay be" dedim "esaslı adammış, tebriğe gelirken numuneyi de getirmiş yanında, dedeme gösterecek..."

"Hacı abi, bu ne?" dedi adam.

"Ne ne?" dedi dedem.

"Açılmış bu çikolata. Üstüne de yazı yazmışsınız."

"Saçmalama yaaavvv, olur mu öyle şey? Kendiniz yiyip yarısını da getirmişsiniz, başka bahaneniz mi yok" dedi dedem.

Kafam masa tenisi izler gibi bir dedeme bir müşteriye gidip geliyordu ki, bakkaldan içeri eli kavanozlu biri daha girdi.

"Hacı abi, bu ne?" dedi.

"Ne diyorsunuz siz yahu" dedi dedem ve ortalık fena halde kızıştı.

Baktım olacak gibi değil, bir kahraman edasıyla öne atıldım ve gururla, "Ben yaptım" dedim.

Olay büyümesin diye noktayı koydum aslında. Dedem aşırı sert bakışlarından birini attı. Bu bakış "Neden böyle beyinsizce işler yapıyorsun sen evladım, kime çektin?" bakışıydı.

"Bu iyi bir şey. İyilik yaptım iyilik! Afiyet olsun yazdım. Küfür mü yazmışım?"

"Yok bir de küfür yazsaydın" dedi.

Çok uzatmadı. Kendi kendine söylendi.

"Yapma bir daha böyle şeyler" dedi.

"İyi" dedim, "yapmayız..."

Söylene söylene **"Çocukların Yetişkinlerle İletişimde Dikkat Etmesi Gereken Hassas Konular"** başlıklı defterimi çıkarttım ve üçüncü maddeyi düştüm.

3. MADDE

"Yetişkinlere nazik davranma.

Nezaketten zerre kadar anlamıyorlar.

İstediklerini yap ve geç. Afiyet mi olacak,

boğazlarına mı duracak kendileri bilir.

Gün gelir, bütün ekmeğe sürmeli çikolataların

içinden afiyet olsun kâğıtları çıkar,

o zaman senin değerini anlarlar."

Çikolataların üstündeki rafta şampuanlar ve sabunlar dururdu. Sanırım burada itiraf etmem gereken bir şey var. Bazen bakkalda ellerim çok kirlenince, şampuanların kapağını açıp azıcık elime damlatıyor ve gidip çeşmede ellerimi yıkıyordum. Şimdi düşünüyorum da bir başkasına ait bir şampuandan azıcık almak çok iyi bir davranış değilmiş. Ama her seferinde başka bir şampuanı açıyor, böylece her şampuanın azar azar azalmasını sağlıyordum. Haksızlık yaparken bile adaletli davranıyordum. Tabii bu beni affettirmez. Neyse çok uzatmayayım, sonuçta herkes hata yapabilir.

Şampuanların üstünde sıvı yağlar vardı. Sıvı yağ, reçel, şampuan rafının en alt kısmında zeytin tenekeleri dururdu. Zeytinler tenekelerde satılır ve poşetlere kürekle doldurulurdu. Öyle şimdiki marketlerde olduğu gibi dokuz çeşit zeytin yoktu tabii. Tek bir zeytin çeşidi vardı. Düşünsene o köyde 300 kişi yaşıyorsa 300 kişi de kahvaltıda aynı zeytini yiyordu. Ne garip!

İyi bir bakkal çırağı olman için tartım işini iyi biliyor

olman lazım. Yani eğer bir kilo toz şeker tartacaksan, gerçekten de bir kilo toz şeker tartmalısın. 100 gram fazla tartarsan zarar edersin. Az tartarsan müşterinin hakkını koruyamazsın. O yüzden terazi kullanmak çok hassas iştir, adı da zaten **hassas terazidir.**

Genelde herkes kiloyla alışveriş yapar. 1 kilo toz şeker, 2 kilo bulgur, yarım kilo peynir, 1 kilo yoğurt falan... Ama Mustafa Abi öyle yapmıyordu. Gelip **50 gram peynir, 50 gram zeytin** istiyor, bir tane de ekmek alıyordu her seferinde... Ekmeğin yanına gazete kâğıdı istiyordu.

Dedem onun yalnız yaşadığını anlattı. Kimsesi yokmuş, parası da... Aklı kıt olduğu için çalışamıyormuş da... İşte, sağa sola bahçe işlerine gidiyormuş, oradan biraz kazanıyormuş.

"O 50 gram isterse sen 100 gram tart, arada biraz da helva koy, helvaya para alma. Diğerlerinin parasını al" demişti dedem.

"Eee madem iyilik yapıyoruz, **toplu iyilik** yapalım. Zeytinle peyniri de bedava verelim" demiştim.

"O zaman olmaz, o zaman kendini kötü hisseder, bir daha gelmez, bırak parasıyla alsın" diyerek kafamı allak bullak etmişti.

Mustafa Abinin bakkala her gelişi benim için yıkım oluyordu.

• *Mustafa Abi fakir ama ona fakir gibi davranmamalıyım.*

• *Mustafa Abi 50 gram istiyor, ben 100 gram vermeliyim ama o 50 gram aldığını sanmalı.*

• *Mustafa Abi helva istemiyor ama ben helva da vermeliyim ama her zaman vermemeliyim. Acaba ne zaman vermeli, ne zaman vermemeliyim?*

• *Mustafa Abinin fakir olduğunu biliyorum ama adamdan inadına para alıyorum. Bir de bunu o kendini kötü hissetmesin diye yapıyorum.*

Mustafa Abinin geldiğini görünce, yerin dibine batıyordum resmen. Elim ayağıma dolaşıyor, ne yapacağımı bilemiyordum. O gittikten sonra şeker sandığının üzerine oturup, aldıklarını nasıl yediğini hayal ediyordum.

Hayalimde, bir ağaç altına tek başına oturmuş,

yere gazetesini sermiş, üstüne 100'er gram zeytin ve peynirini açmış, karnını doyuran bir Mustafa Abi canlanıyordu. Sonra ağlamaya başlıyordum. Ve Mustafa Abi ertesi gün yine geliyordu!

Bir gün yine şeker sandığının üstünde ağlarken aklıma dâhiyane bir fikir geldi. Robin Hood zenginden alıp fakire veriyorsa, ben de pekala bunu yapabilirdim. Her türlü imkân vardı elimde. Fakir var, zengini bulmak kolay, bakkal defteri de var...

"Bu iş bitmiştir" dedim.

Ertesi gün yine geldi Mustafa Abi. Gene 50 gram zeytin, 50 gram peynir, bir de ekmek istedi.

"Mustafa Abi, dedem dedi ki, 'Mustafa Abine bir kilo zeytin, bir kilo peynir ver, biz sonra hesaplaşırız onla' dedi. Remzi Hoca hayır mı dağıtıyormuş ne, öyle dedi."

Bu lafı seviyordum. Arada birileri geliyor, dedemle bir şeyler konuşuyor, "Sonra hesaplaşırız" diyorlardı. Demek ki, iyi bir şeydi. Ben de söylesem bir şey olmaz diye düşündüm.

Remzi Hoca zaten aşırı zengin, bir kilo peyniri, bir kilo zeytini yazsam bunun veresiye defterine, hayatta anlaşılmazdı. Adam hayır dağıtıyorsa neden zeytin peynir dağıtıyor ve bunu bakkalın üzerinden yapıyor çok da sorgulamadım. Mustafa Abi de sorgulamadı. Aldı, gitti.

Sonraki günler sadece ekmek aldı. Acayip mutlu ve gururluydum. Yirmi gün sonra peynir ve zeytin almak için geldiğinde yine aynı numarayı yaptım. 1 kilo zeytin, 1 kilo peynir parasını Remzi Hoca'nın hesabına gururla ekledim. Hatta abartıp helvayı da yazdım. Bir kilo da helva verdim Mustafa Abiye. Mustafa Abi baktı.

"Torunu olmuş Remzi Hoca'nın. 'Helva da verin, yesin tatlı tatlı, helal hoş olsun Mustafa'ya' dedi" deyip kurtuldum.

Güldü. Ben de güldüm. Çünkü çok zekiydim.

Bir gün Remzi Hocayla dedemi defterin başına eğilmiş tartışırken yakaladım. O diyor almadım, dedem diyor almışsın. O diyor, "Almadım yahu, biz peyniri zeytini Bursa'dan alırız." Dedem diyor, "Remzi almasan neden yazalım?"

Bak bak, zengin ya, bizim peyniri zeytini de beğenmiyor diye düşünüp iyice hırslandım adama. Pis pis bakarken, dedem beni gözleriyle yakaladı.

"Bu senin yazın mı?" dedi.

"Yok Robin Hood'un yazısı o" demek istedim ama sadece kafamı sallayabildim.

Sonrası şöyle oldu.

"Bunu sen mi yazdın?"

"Evet."

"Remzi Hoca peynir, zeytin, helva aldı mı almadı mı?"

"Almadı."

"O zaman neden yazdın?"

"Zengin diye."

"Sana ne evladım, mirasçısı mısın adamın?"

"Değilim. Keyfimden yazmadım... Mustafa Abiye verdim peynirle zeytini."

"Hangi Mustafa?"

"Garip Mustafa yok mu, 50 gram 50 gram, canım çıkıyor tartarken, verdim birer kilo yolladım. Bu adam da zengin diye ona yazdım. Sevap işte. Hayır yaptım."

"Hayır kendi paranla olur! Başkasının parasıyla hayır mı olur?"

"Sil Remzi Hocadan bana yaz dede. Gider Kahveci Dedemden isterim para, öderim sana" dedim ve ağlayarak çıktım bakkaldan.

Bunu öğreneli çok olmuştu. Dedelerimi birbirine

kırdırıyordum. İkisi de sinir olurdu. Bayramlarda "Aaa bu kadar mı verdin, öbür dedem şu kadar verdi" deyince harçlığı hemen arttırıyorlardı. Yine işe yaradı.

"Dön geri... Remzi Hocadan özür dile. Garip Mustafa'ya da zeytin peynir götür, alıştırmışsın artık. Bir daha da veresiye defterini elleme" dedi.

"Ellemeyiz" dedim ve "Çocukların Yetişkinlerle İletişimde Dikkat Etmesi Gereken Hassas Konular" başlıklı defterimi çıkartıp dördüncü maddeyi yazdım.

4. MADDE

"Yetişkinlere paylaşmayı öğretme.
Fakirler ağaç altında 50 gram zeytin yerken,
zenginler para, para, para diye
birbirlerini yesinler."

Uzun Murat

Vişneli maden suyu projem tutmasa da yaz aylarında içecek işi yine de fena gitmiyordu. Ama asıl bomba, **dondurma** sezonunu açtığımızda patlıyordu. Kışın sobanın durduğu yerden yazın sobayı kaldırıyor ve oraya kocaman bir dondurma dolabı getiriyordu dedem. Yanına külahları diziyor, dondurmacıdan kakaolu ve kaymaklı dondurma alıp getiriyordu.

Yani evet bakkal dükkânıydı ama gerektiğinde dondurmacı da oluyordu işte.

Dondurmanın geldiği ilk gün büyülü bir cümle yayılıyordu çocuklar arasında...

"Bakkala dondurma gelmiiiiş..."

Hemen doluyordu bakkal. Herkese karışık dondurma veriyorduk. Delirmiş gibi dondurma yemelerini anlayamıyordum.

Tezgâhın öbür tarafında olmak değişik bir şeydi. Külahı uzatıp parayı aldıktan sonra "Git su iç, su içmeyi unutma" diye tembihliyordum. İçimden de "Bakkal mıyız, dondurmacı mıyız? Dondurmacı mıyız, anne miyiz? Niye tembihliyoruz bunları böyle?" diye söyleniyordum. İlk bir hafta sürekli dondurma yiyorlardı, sonra doyuyorlardı herhalde, azalıyordu satışlar.

Dondurma dolabı elektrikliydi. Yani eğer elektrik kesintisi olursa birkaç saat içinde dondurma diye bir şey kalmazdı. Erir giderdi. O yüzden yazın yaşanan elektrik kesintileri dedemi acayip sinirlendiriyordu. Zaten sinirlenmek için yer arıyordu bütün gün, bir de elektrik kesildiyse baruta dönüşüyordu. Elektrik kesilince dondurma kutularını dolaptan çıkartıp arabaya atıyor, en yakın ilçeye gidip orada bir dondurma dolabına koyuyordu. Yeniden elektrikler gelene kadar orada bekliyordu. Köye elektrik gelince, dedemin beklediği yere telefon edip geri çağırıyorduk.

Dedem böyle zamanlarda çok gergin oluyordu. Çok üzülüyordum onun bu telaşına. İçimden köyün bütün çocuklarının yanına gidip, "Siz iki gıdım dondurma yiyeceksiniz diye şu adamın çektiği çileye bakın. Gidin dondurma alın, öpün dedemin elini, teşekkür edin" diye söylenmek geliyordu. Yapamıyordum tabii. Müşteri her zaman haklıydı çünkü. Nasıl işse, her zaman haklıydı!

Bir yaz annem ve babam beni lunaparka götürdüler. Üç oyuncağa binme hakkı verdiler. Sinir oluyordum yetişkinlerin getirdiği bu kısıtlamalara. Ömrümde bir kere gelmişim, bırakın doya doya bineyim. Üç oyuncak sınırı nedir yaaa?

Neyse, çarpışan otolara, gondola bindim. Üçüncüyü istemedim. Gıcıklık değil mi? İstemiyorum dedim, kalsın. Madem en fazla üç tane oyuncağa binebiliyordum, birini bıraktım. Kendimce ben sizden daha bonkörüm demek istiyordum, bir insanlık dersi veriyordum anne babama. Kimse takmadı tabii. İyi madem binmezsen binme, deyip yürüdüler.

Dünyanın en ısrarsız ailesinin çocuğuydum. Teklif var, ısrar yok!

Annem, "Dondurma alalım, dedi. "Kaç top sınırımız var?" diye sordum ama ne demek istediğimi anlamadı. Dondurmacı, Maraş dondurmacısıymış. Maraş'a 900 kilometre mesafede Maraş dondurması satan Bursalı adamdan dondurma aldık. Adam külahı uzatıyor ve tepede asılı duran bir çana vuruyor. Külahı vermiyor. Adam külahı uzatıyor, alıyorsun, ama boş külahı alıyorsun, dolu külah adamda kalıyor. Dondurmacı resmen gösteri yapıyor. Köylü şapkası takmış, yelek giymiş. Kostümü de var.

"Ben şu adamı biraz izleyeceğim" dedim.

"Yürüsene çocuğum geze geze ye dondurmanı, koca lunaparkta bula bula dondurmacıyı mı buldun izleyecek? Gel bak güldüren aynalar var, onlara bakalım" dedi annem.

Sırf annem ve babam oldukları için her dediklerini yapıyordum. Güldürmeyen aynaların karşısına geçip "Aaa ne komik olduuuummm" deyip gülmem gerekiyordu. Yaptım. Sonra geri döndük.

Yolda aklıma dâhiyane bir fikir geldi. Dondurmayı böyle satacaktık. O zaman çok ilgi çekecekti. Her gün ilk günkü heyecanla dondurma alacaktı çocuklar. Ve çok fena satış yapacaktık. Böylece köşeyi döner, bakkalı büyütürdük.

Döner dönmez planımı uygulamaya koyuldum. Dedeme bir kasket buldum, bir de yelek. Anneannemin dolabını talan ettim bulana kadar. Ama olsun, olurdu o kadar.

Çana ihtiyacımız vardı. Nerede bulacağımı biliyordum. Anneannemin eskinden koyunları vardı. Onların bazılarının boynunda çan asılı olurdu. Satmışlardı hayvanları ama çanları çıkartmışlardır herhalde diye düşündüm. Eskiden hayvanların bağlı olduğu ağıla girdim. Kokuyordu ve çok karanlıktı. El feneriyle girdim. Koku da karanlık da dayanılmazdı ama çan çok lazımdı. Aradım, taradım ve buldum. Çanı yıkayıp ucuna kurdele bağladım. Götürüp dondurma dolabının üstüne astım.

Söylemiştim, kışın dondurma dolabının yerinde soba kurulu olur ve tavana soba boruları bağlanır. Çanı tavandaki o çiviye asmam gerekiyordu ama boyum yetişmezdi. Bakkala ilk gelen müşteriden yardım isterim diye düşündüm.

İlk giren Küçük Rukiye Teyze oldu. O kadar kısa boyluydu ki, benden bile kısaydı. O yüzden ona Küçük Rukiye diyorlardı. Kendisinden daha büyük bir Rukiye daha yoktu yani. Köyün tek Rukiyesi ama o kadar küçük ki, yine de lakaba ihtiyaç duymuşlar.

Talihsizliğime üzülürken, ikinci giren Uzun Murat oldu. Uzun Murat çok uzundu ve bu iş için merdivene falan ihtiyacı yoktu. Gazoz şişesi kasasının üstüne çıkıp şıp diye bağlayıverdi. Bir de yumruk attı çana, aklım çıktı... Teşekkür ettim yine de.

"Ben Bursa'ya gidiyorum, basketçi olacağım, basketçi olunca köye gelirim tekrar" dedi.

"İyi, kolay gelsin. Olursun tabii, senden uzununu mu bulacaklar? Baksana tavana çan takabiliyorsun, daha ne olsun..."

Sonra dedem geldi ve çanı gördü. Sonrası şöyle oldu:

"Bu ne yav?"

"Çan."

"Ne çanı?"

"Koyun."

"Burada ne arıyor?"

"Dede bak şu kasketi bir giy, bir de bu yeleği, hadi..."

"Ne kasketi evladım, ne yeleği? Bu çan ne?"

"Bak ben sana göstereceğim. Bursa'da gördüm. Maraşlı dondurmacı böyle satıyor dondurmayı. Çana vuruyor, boş külah uzatıyor. Çok eğlenceli. Acayip satış yaparız."

"O dondurmacının işi, biz dondurmacı mıyız?"

"E dondurma satıyoruz ya, değil miyiz?"

"İşine bak sen, gazoz dolabı boşalmış bak, gazoz dolabını doldur."

Öfkeden kudururken, "Çocukların Yetişkinlerle İletişimde Dikkat Etmesi Gereken Hassas Konular" başlıklı defterimi çıkartıp beşinci maddeyi hemen yazdım.

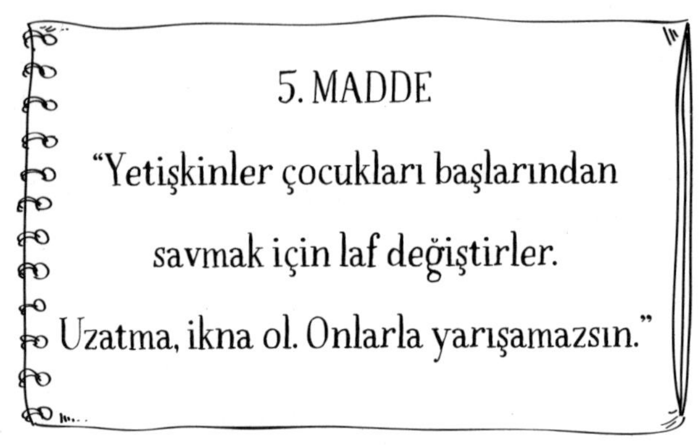

Dedem çana uzandı ama sökmesi imkansızdı.

"O çanı nasıl taktın oraya sen" dedi.

"Uzun Murat taktı, ben takmadım" dedim.

"Çağır da indirsin" dedi.

"Gitti o. Basketçi olmaya gitti, gelmez artık, kalsın çan orada."

Çok fena kızdı dedem. Ben çıkarken söyleniyordu.

"Kilise mi burası, çan da takmış, tövbe yarabbi" falan diyordu.

İçeri girip, "Ne alakası var şimdi, Maraş dondurmasıyla kilisenin" diyecektim ama beş dakika önce uzatmama kararı alıp defterime yazmıştım. Uzatmadım.

Derken o yaz dedem, dondurma dolabına yeni bir kutu daha koydu. Ambalajlı dondurma! Yani bugün yediğimiz dondurmalardan işte... İlk defa görüyordum. Bence köydeki bütün çocuklar ilk kez görüyordu. Görünce, "Ben bunu nasıl düşünemedim" dedim.

Külahta dondurma eziyetine son!

Dondurma doldururken ister istemez insanın eline bulaşıyordu. Ayrıca kararsız kalıyordu çocuklar. Sade olsun, yok yok kakaolu olsun, karışık olsun, benimki sade olsun... Böyle iyi, her şey hazır. Bulanın aklına sağlık...

Dedim ya, dedem camiye giderken beni bakkalda yalnız bırakırdı. O yokken ben beklerdim, o gelince de ben çıkabilirdim. Zaman zaman molalar veriyordum. Cami bakkalın tam karşısında olduğu için geldiğini görürdüm.

O gün dedemi ufukta gördüm, geliyordu, mola zamanımın başlamasına az kalmıştı. Dondurma dolabından bir tane dondurma aldım, ambalajını açtım... Dışarıda dondurmamla bir tur atarım, başka çocukların da canı ister, onlar da gelir bakkala, dondurma satarız diye düşündüm. Mola saatlerimde bile çalışıyordum yani.

Dondurmamdan bir kere yaladım, dedemin bana doğru geldiğini görüyordum. Derken durdu ve geri döndü.

"N'oldu? Nereye gidiyorsun? Yine mi camiye? Bitti ya namaz!" diye bağıramıyorsun tabii. Ben de mecburen tezgâha geri döndüm. İyi, bakkal koltuğuna kasılır, arkama yaslanır, keyifle yerdim dondurmamı. Fakat öyle olmadı.

İçeriye birden bire müşteriler geldi. Elimdeki dondurmayı bırakmam gerekiyordu ama nereye bırakacağımı bilemedim. Sağa sola bakındım. Çikolata değil ki bu, sok ambalajına geri, koy bir köşeye...

Üç müşteri daha girdi bakkala. İçeride en az on tane insan var ve ben elimde dondurma onlara bakıyorum. Afalladım. Panikledim. Elim ayağıma dolandı. Bugüne kadar gördüğüm en kalabalık müşteri kitlesiydi.

Dondurmayı ambalajına sokup pantolonumun cebine tıkıştırdım. Müşterilerle ilgilendim. Bitmiyordu alışverişleri. Dedem böyle zamanlarda "Kıtlık var sanki" derdi arkalarından. Ben dedemden açık sözlüydüm, yüzlerine dedim.

"Kıtlık mı var, ne çok şey aldınız" dedim, güldüler. Aldıkça alıyorlardı. Biri kapıdan çıkıyor, yenisi geliyordu.

"Dedeeeeee nereye gittin gene yaaav, ne yapıyorsun sen camide? İmam mısın sen, bakkalsın! Dön işinin başına" diye söyleniyordum içimden.

Bunaldıkça bunaldım. Hava zaten sıcak, küçücük bakkalın içinde on kişiyiz... Dondurma eridi cebimde. Çıkartamıyorum da cebimden... Eriyip çoktaaaan yapıştı pantolonuma. Rezil vaziyetteydim. Yarım saat sonra müşteriler nihayet bitti ve son müşteriden sonra içeriye dedem girdi. Kan ter içerisinde kalmıştım. Paçalarımdan dondurmalar süzülüyordu.

Kaşlarını çatıp baştan aşağı süzdü beni. Çok dikkat ederdi kılık kıyafet işine. Baştan konuşmuştuk. "Temiz giyineceksin" demişti. "Tamam" demiştim.

"Bu ne vaziyet? Ceplerine niye dondurma dolduruyorsun evladım, ne biçim çocuksun sen?" dedi.

Durumu izah edemedim.

"Sen de geç gelmeseydin... Bir saattir ne yapıyorsun camide?" diye kızdım...

Bu sefer de dedem geç geldi diye cebime dondurma doldurmuşum gibi oldu. Yine mantıksızdı. Of!

Gerçekte bakkaldaki müşterilere daha iyi hizmet vermek için pantolonunu feda etmiş bir kahramandım. Ama dedemin gözünde, ceplerine dondurma dolduran şapşalın tekiydim. Sinirle bakkaldan çıkıp eve gittim. Bahçede annemle karşılaştık.

"Bu ne vaziyet?" dedi.

Bir kişi daha sorarsa ağlarım diye düşünüyordum içimden. Dişlerimi sıkıyordum. Yan kapıdan anneannem çıktı.

"Üste başa bak. Bakkal çırağı olacak bir de. Pislik içinde... Deden görmesin" dedi.

Daha fazla dayanamadım. Ağlamaya başladım. Ağlaya ağlaya içeri koşarken arkamdan, "Ağladığına göre kesin suçlu" dediler.

"Ağladığına göre suçlu" ne demek ya? "Ağladığına göre çaresiz demek ki, ağladığına göre üzgün demek ki, ağladığına göre bir derdi var demek ki" demek varken, "Ağladığına göre suçlu" nedir ya?

Dünyanın en vicdansız ailesinin ortasına doğmuştum.

Koşa koşa kapıdan çıkıp aynı yolu tekrar gittim. Bakkala girip bir hışımla tezgahın altındaki defterimi aldım.

"Çocukların Yetişkinlerle İletişimde Dikkat Etmesi Gereken Hassas Konular" başlıklı defterime altıncı maddeyi yazdım.

6. MADDE

"Her zaman, zekasıyla övünen yetişkin milleti, aslında kafasını pek çalıştırmaz.
Genelde olayların görünen taraflarıyla ilgilenir ve altında yatan nedenlere bakmazlar.
O yüzden de çokça yanılırlar. Onlara gerçeği anlatmaya çalışma, anlamazlar.
Ayrıca insan suçlamaya bayılırlar. Ayrıca kâğıtlı dondurmaya da gıcık oldum..."

Ertesi gün yine bakkala gittim. Olurdu böyle şeyler. İstifa edecek bir durum yoktu sonuçta, paşa paşa işimin başına döndüm.

Elektrik kesintisi çok sık yaşanıyordu. Bu yüzden priz, fiş, lamba, kablo gibi bir bakkalda değil de bir elektrikçide bulunması gereken tüm teçhizatı satıyorduk. Ama en çok da mum satılıyordu. Elektrik kesintisinin yaşandığı günlerde, mum, bakkalın en çok satan ürünü oluyordu.

Bir gün yine elektrikler kesildi. Dedem dondurmaları arabaya yükleyip ilçedeki dondurmacıya gitti. Bakkal bana kaldı. Ve akşam olmak üzereydi.

Bu şu demekti:

Karanlık bir gece bizi bekliyor. Herkes karanlıkta kalacak. Karanlıkta kalmak istemeyen herkes mum yakacak. Peki, mum nerede satılıyor? Bakkalda. Bakkal kim? Biziz. Mumlar kimin? Bizim. O zaman istediğimiz fiyata satabilir miyiz? Satarız.

Hemen mumlara zam yaptım ve elektrikler uzun süre gelmesin diye dua ettim. Eğer yeterli sayıda mum satarsam bu akşam köşeyi dönerdik. Sonuçta krizi fırsata çevirmek diye de bir şey vardı.

Mumun yeni fiyatını üzerine yapıştırdım. Bir kartona "Karanlıkta kalmamak için kaliteli mum alın" yazdım ve iki tane de mum yaktım. Mumun yanıyor olması önemliydi. Satışı arttırmak ve müşterilerin dikkatini çekmek için iki mumu feda etmiştim. Reklam bütçesinden harcıyordum.

Birazdan herkes bakkala akın eder, mum almak

için sıraya girer, zam yaptığımı anlarlar ama mumların kaliteli olduğunu okuyup alırlar diye düşünüyordum. Fakat bakkala ilk gelen dedem oldu.

Ne yalan söyleyeyim, beklemiyordum. Dondurmaları götürmüştü o. Elektrikler gelene kadar gelmemeliydi.

"Sen neden geldin ki bakkala" dedim, dedemin bakkal koltuğundan yavaşça aşağıya kayarken... O gelince oturmuyordum koltuğa. Sonuçta bakkal oydu, ben çıraktım.

Cevap vermedi dedem. Bakkal olan o, bakkal dükkânı da onun. Ben de adama, "Neden geldin" diyorum. Soruyu değiştirdim.

Sonrası şöyle oldu:

"Hani dondurmalar nerede?"

"Trafolarda bakım varmış, elektrikler gidip gelecekmiş. Yarın alırız dondurmaları."

"Hıı."

"Sen niye gündüz vakti mum yaktın, bunlar ne?"

"Reklam o. Işıklı tabela gibi düşün. Gelen insanların dikkatini çekmek için yaktım."

"Fiyatı niye öyle iki katı?"

"Zam yaptım. Nasıl olsa insanların ihtiyacı var, böyle alsınlar, daha çok para kazanırız" dedim ama dedem daha cümlemi bitirmeden atak yaptı.

"Evladım sen üçkâğıtçı mısın? Müşteri mi kazıklıyorsun sen? Cin olmadan adam mı çarpıyorsun? Kaldır o etiketi çabuk. Kime çektin çocuğum sen?"

Sorular ardı ardına geliyordu. Mumu üfleyip bakkaldan çıktım. Söylemiştim. Dedem, elektrikler kesilip de dondurmaları ilçeye götürmek zorunda kaldığında çok sinirli oluyordu.

Bakkal her zaman çok kalabalık olmuyordu. Bazen aşırı sakin günler yaşanıyordu. Ben o günlere "Herkes Tok Günü" adını takmıştım. Kimse gelmiyordu. Ben de Herkes Tok Günleri'nde şeker sandığının üzerine oturup geleceğe dair planlar yapıyordum.

En büyük korkularımdan bir tanesi bakkala hırsız girmesiydi. Bir hırsız girdiğinde ne yapmam gerektiğini bilmiyordum, dedem bu konuda bilgi vermemişti. Bence o da bilmiyordu. Yani yüzleri maskeli adamlar bakkala girip de, "Boşalt çabuk kasayı" derse ne yapacaktık, hiçbir fikrimiz yoktu.

Dedeme bir kez sordum, "Açma şom ağzını, olmaz köyde böyle şeyler" dedi.

Fakat ben bu bakkalın çırağı olarak her türlü tedbiri almak zorundaydım.

Bunun için bir karar aldım. Köydeki oğlanlardan iki tanesi, hafta sonları ilçeye karateye gidiyordu. Karate öğrenecektim. Artık hangi kuşak olursa, fark etmezdi. Eve gidip kararımı açıkladım.

Anneme, "Bakkalı koruyabilmem için **karate** öğrenmem gerekiyor. Beni karate kursuna gönderin" dedim.

Ama o, bu iki cümleyi **"Karnım aç"** diye duydu. Çoğu zaman böyle oluyordu, benim ağzımdan çıkan cümleler annemin kulağına başka türlü ulaşıyordu.

"Birazdan yemek yeriz, ortadan kaybolma" dedi.

Sinirlendim.

"Açım mı dedim ben sana? Karate kursu dedim, beni kaydettirin" dedim.

Annem, "Sofrada yedin yedin, yoksa aç kalırsın" dedi.

Annelerin en büyük korkusunun çocuklarının aç kalması olduğuna emindim. Anneme ne desem konuyu yemeğe bağlıyordu. Mesela aramızda şöyle diyaloglar geçiyordu.

"Anneee, ben büyüyünce belki yazar olurum."

"Sen önce yemeğini ye de bakalım, yazarlık geri kalsın."

"Bence ben piyano falan çalamam ama belki org çalabilirim, değil mi anne?"

"Kahvaltını bitir hadi, okula geç kalma."

"Anneee Esralar var ya, tatile gidiyorlarmış."

"O tabağı bitirmezsen sen sokağa bile çıkamazsın, ne tatili?"

"Anne, karnım ağrıyor benim."

"Yemek yemezsen ağrır tabi."

Yemek, yemek, yemek, yemek!

O gün de diyalogumuz böyle geçti, karate, yemek, karate, yemek, karate, yemek... Karate konusunda şansımı birkaç kez daha denedim, yine yemeğe davet edilince vazgeçtim.

Hırsızlarla mücadelede başka bir yöntem geliştirmeliydim. İkna etmeye çalışabilirdim.

Hırsız içeriye girerse, "Hoş geldiniz, burası küçücük bir köy bakkalı. Günde en fazla şu kadar para kazanıyoruz. O kadarcık para için kendinizi yormanıza, adınızı kirletmenize gerek yok. Buyurun bir gazoz açayım, dinlenin, gidin" falan diyebilirdim.

Sonuçta tatlı dil yılanı deliğinden çıkartıyorsa, hırsızı da bakkaldan çıkartabilirdi. Fakat bu plan sadece ben bakkaldayken hırsız gelirse geçerli olurdu. Dedem varken gelirlerse dedem onlara biraz zor güler yüz gösterirdi. Bana göstermiyor, hırsıza mı gösterecek?

Ben de bir köpek almaya karar verdim. Bakkalın önünde sürekli bir köpek durursa, hırsız mırsız gelemezdi. Harika fikirdi. Ama dedem buna asla razı gelmezdi.

"Bir köpek alalım, besleyelim" desem kesin o sert bakışlarından birini atardı. Ben de bu işi gizlice yapmaya karar verdim.

Köyde sahipsiz bir köpek var. Sapsarı ve aşırı akıllı bir köpek. Saddam...

Adını kim koymuş bilmiyorum, bütün köy ona Saddam diyor. Ve bence bu isim ona çok yakışıyordu. Saddam'ı peşime takıp bakkala getirdim.

Bakkalın en ucuz ürünü, kiloluk bisküvi... Bisküvi kutusunun içinde bütün bisküviler oluyor, bir de kırık bisküviler. Kırıkları kimse almıyordu. Ben yiyordum. Bundan sonra Saddam yiyecekti.

Saddam'a her gün biraz bisküvi verdim. Her geldiğinde bisküvisini kaptı. Sonunda bakkalın önünden ayrılmaz oldu.

Dedem birkaç kere, "Amma alıştı bu hayvan da bakkala, bir şeyler mi veriyorsun sen buna?" falan diye sordu ama inkar ettim.

"Ne vereyim köpeğe dede, ben bile doğru dürüst bir

şey yemiyorum, baksana çöp kutusu boş" dedim, yırttım.

Ama artık Saddam koruma köpeğimizdi, işlem tamamdı. Bir kez daha zekâmla gurur duyabilirdim. Her türlü hırsıza hazırdık...

Yani ben öyle sanıyordum. Babaannemlerde kaldığımız bir gece, sabaha karşı, ev telefonu çaldı. Annem açtı telefonu.

"Aaaa! Eeee? Hiiiihhhh! Tühhhhh!" diye şaşırdıkça şaşırdı telefona. Herkes pijamalarla annemin başına dikilmişti. Telefonu kapatınca bize dönüp, "Bakkala hırsız girmiş" dedi.

Hemen atladım.

"Çıkmış mı?" dedim.

Annem şaşırdı.

"Kim çıkmış mı?' dedi.

"Hırsız yav! Orda mıymış hâlâ? Gidip konuşayım ben" dedim.

Annem bir bakış attı bana. Çok değişik bakıyordu. Uzatmadım. Yatağıma geri döndüm. Geri kalanını içeriden dinleyebilirdim.

Olay şöyle olmuş:

Gece hırsızlar gelip bakkalın kapısını zorlamışlar. Kapıyı açamayınca camı denemişler. Onu da açamamışlar. Dedemin evi, bakkalın hemen yanındaydı. Hırsızlar bu detayı atlamışlar. Dedemi gece uyku tutmamış, su içmeye kalkmış. (Gündüz o kadar uyursan gece uyuyamazsın tabii.) Su içtikten sonra yatağına dönerken sokakta el lambası yansımaları görmüş, kendi el fenerini alıp sokağa çıkmış. "Kim var orada?" demesiyle hırsızın kaçması bir olmuş. Neticede hırsızlar içeriye girememişler.

Sabah kalkınca bakkala gittim. Saddam merdivenlerin orada dikiliyordu.

"Neredeydin gece çakal?"' dedim.

Hayvanı tam zamanlı çalıştırmak istiyorsam, bisküviyi artırmalıydım.

Dedem beni görünce, "Hoş geldin şom ağızlı, hırsız dedin bak geldi hırsız" dedi.

Sanki ben çağırdım hırsızları.

"Gazoz açsaydın" dedim.

Anlamadı. Anlamaz.

Benimle konuşmayı birazcık deneseydiniz, ne demek istediğimi anlardınız...

Burası bir köy bakkalı evet. Gelen geçen herkesi tanırız, ama bazen tanımadığımız birileri de gelir. Ya kaybolmuş yolu bulamamışlardır ve yol sormak için bakkala uğramışlardır ya da birine birkaç günlüğüne ziyarete gelmişlerdir.

Yabancılar bakkala geldiklerinde değişik sorularla muhabbet etmeye çalışırlar.

"İşler nasıl? Kaç kişi yaşıyor bu köyde? Yerel ürünler satıyor musunuz?" falan.

Sevmem bu soruları. Yine de cevaplarım.

"İşler iyi, kalabalık bir köy burası, kaç kişi bilmiyorum. Yerel ürün satmıyoruz, niye satalım ki?"

Bu son soruyu sorduğumda kafamda bir ışık yandı. Niye satmayalım ki? Ben bunu düşünürken, bir çocukla annesi girdi içeriye. Tanımıyorum, kapının önünde bir araba duruyor. Yabancılar.

"Kayboldunuz mu?" diye sordum.

"Yoooo" dedi kadın. "Niye kaybolalım, ne münasebet?"

Atarlı yetişkin! Bunlar durduk yere alınır, durduk yere gerilim yaratır, durduk yere insanı tersler. Atarlı yetişkinlere hiç bulaşmam. Söylediğime pişman oldum. Kötü bir şey olduğunu bile bile içimden, "İnşallah da kaybolursun" dedim.

Annem bunu yaptığımı duysa çok kızar. "Kimseye beddua etme, döner dolaşır seni bulur" der hep. Bu beddua sayılmaz, hak edilmiş bir kötü dilek diyelim.

Kadının çocuğu çikolata almak istedi.

"Aaaaa çikolata alamazsın, bak dişlerin çürüyor"

dedi annesi.

Benim annem bana bunu dese, acayip gıcık olurum.

"Cips alayım mı?" dedi çocuk.

"Cips mi, ne cipsi? Cips yenir mi annecim?" dedi annesi.

"Yenmez mi? Biz koca köy halkı her gün paket paket yiyoruz, yanlış mı yapıyoruz" diye geçirdim içimden. Çocuk meyve sularına yöneldi.

"Arabada var annem, evden çıkarken sıktım ben sana, mataranda var. Vitamini gitmiştir ama olsun, bunlardan iyidir" dedi.

Çocuk bisküvi almak istedi.

"Kurabiye yaptım ya annem ben sana, arabada dolu, ne güzel, ev yapımı, üzümlü... Bunları kim bilir ne koşullarda yapıyorlar" dedi anne.

"Dondurma" dedi çocuk, "Aaaaa açık dondurma, hayatta almam" dedi.

İçimden "Yahu ne yiyecek bu çocuk be kadın" diye bağırmak geldi ama yapamadım.

Neden? Çünkü müşteri her zaman haklı!

Tezgâhın arkasından gözlerim yuvalarından fırlayarak onları izledim. Sonunda kadın çocuğa bir tane küçücük şekersiz sakız aldı ve çıktılar. Yirmi dakika bakkalda durup bir tane küçücük şekersiz sakız aldılar. O gün onlar kapıdan çıktıktan sonra bakkalın tarihine yeni fikrimi altın harflerle yazdım: Bu organik işi tutar!

Yazın bu köyde kadınların hepsi kendilerine kışlık hazırlar. Salça, reçel, makarna, tarhana, turşu, yufka, konserve... Bir sürü bir şeyler. Bütün bir yazı bunlarla geçirirler. Tüm bunları yaparken çocukların ayak altında dolaşmasını asla istemezler. Onlar için bu ürünler altın değerindedir.

Birbirlerine, "Ay benim salçam bu sene çok güzel olduuuu!", "Reçellerimi bir gör, bakmaya doyamazsın" gibi garip şeyler söylerler.

Mesela bu yaptıkları ürünlerden birazını yanlışlıkla döksen ya da ziyan etsen kıyamet kopar. "Ne kadar uğraştım ben onlarla bütün yaz, sakın ziyan etme" diye boğazına dizerler. O yüzden, bakkala koymayı planladığım bu organik ürünleri tek bir evden almamın imkanı yoktu. Gizlice almak bana göre olmadığından, ödünç almak en güzeliydi...

Babaanneme gidip, "Babaanne, anneannem dedi ki, senin salçan çok güzel oluyormuş, bir kavanoz versin de ben yapınca ona veririm, şöyle ağız tadıyla bir salça yiyeyim" dedim.

Babaannemin yüzünde güller açtı. Dünürü salçasından istiyor, çok beğenmiş, vay vay vayyy! Hemen iki kavanoz verdi. Bir değil iki! Selam söyledi, "baş üstüne" dedim, kaçtım. Salçayı, bakkalın deposunda bulunan en arka bölüme sakladım.

Sonra Emine Teyzeme gidip, babaannem için turşu istedim. Sonra Seher Teyzeme gidip reçel istedim. Huriye Yengemden hoşaf aldım. Hatice Teyzeden tarhana istedim. Ondan isterken durumu biraz abarttım. Dedim ki, "Senin tarhanan dilden dile dolaşıyor. Tarifini istemeye de utanıyorlar. Bir pişirimlik verecekmişsin, kendileri bulacaklarmış içine neler koyduğunu!"

İnandı. Kadınlar övülmeye dayanamazlar. Cidden. Buna inanmaya dünden razıymış.

"Onlar bir de benim ev makarnamı yesinler, tadına

doyamazlar" dedi ve bir poşet de ev makarnası verdi. Dünyalar benim oldu.

Yöresel ürünler pazarım için gerekli olan her şey hazırdı. Bunları sattığımda kendi payımı düşüp, parasını götürüp onlara vermeyi ve durumu açıklamayı düşünüyordum. Şimdi mesela o atarlı kadın bakkala gelse, bunların hepsine bayılırdı. Ama hâlâ eksik bir şeyler vardı. Çocuğa verecek bir şeyimiz yoktu. Kurabiye! Kurabiye bu işi çözerdi. Halama gittim. Bayan yufka yürek...

"Offfff yaaaa, bütün gün bakkal bekliyorum. Dünya kadar çikolata var, bisküvi var ama senin yaptığın o kurabiyenin tadı hiçbirinde yok. Olsaydı şimdi çaya bana bana yerdim hala yaaaa. Ama yorulma, gideyim de ben bakkaldan sağlıksız şeylerden alıp yiyeyim" falan dedim.

"Aaaa yaparım ben sana halam" dedi.

Yapar biliyorum. Doğru zamanda doğru yerdeyim. Bir tepsi kurabiye yaptı. Başında bekledim. Üç tane koydu tabağa...

"Bu ne? Kime yetecek? Ben onları bakkal önündeki çocuklara dağıtacağım. Söz verdim. Hepsine anlattım halam çok güzel kurabiye yapar diye. Hepsinin ağzının suları aktı. İçlerinde kurabiyenin ne olduğunu bilmeyenler var. O üç tane senin olsun, gerisini ver bana. Yazıktır, günahtır. Sevap hala. Allah sevdiğine kavuşturur."

İşte o son cümleye dayanamadı. Zaten sevdiğine vermiyordu dedem. En hassas noktadan vurdum. Üç taneyi de bıraktı tepsiye geri.

"Hepsini götür" dedi.

Çok üzüldüm. Şu bakkal işi bir bitsin, bu kızı sevdiğine kavuşturmanın yollarını aramalıydım. Yeterince istersem çözerdim o işi. Evlendiklerinde, bana bu iyiliğimin bedeli olarak tepsi tepsi kurabiye yapardı. Zaten ara ara kahveye gidiyor, dedemin yanında oraletimi içerken, "Var ya, benim bir kızım olsa kesin sevdiğine verirdim, hiç ikiletmezdim. Aşka saygım sonsuz olurdu" falan diyordum. Dedem duymazlıktan geliyordu.

Kurabiyeleri boş bisküvi kutularından birinin içine doldurdum. Sağdan soldan topladığım yöresel ürünlerimi bir rafa yerleştirdim. Hepsi yan yana çok güzel durdular. Bu iş tutarsa köyün bütün kadınlarını bütün yaz kendim için çalıştırırdım. Başka yerlerden köye alışverişe gelirlerdi. Bakkalı kesin büyütürdüm.

Sonra bir kartona keçeli kalemle

"KAYA BAKKALİYESİNDE YÖRESEL ÜRÜNLER SATILMAKTADIR"

yazdım ve cama astım.

Sonra dedem geldi ve yazıyı gördü. Ne mi oldu? Şöyle ki:

"Yöresel ürün de ne demek?"

"Yöresel ürün salça, reçel, turşu, tarhana gibi, burada yapılan ürün demek."

"Onu biliyoruz. Bizim bakkalda ne işi var, kim getirdi?"

"Ben getirdim."

"Yok muydu bizde salça falan? Satıyoruz ya işte."

"Bunlar yöresel, daha çok satar."

"Nereden buldun?"

"Orası karışık."

"Nasıl karışık, kimden aldın onları? Para mı verdin onlara? Parayı nereden buldun? Kasadan mı aldın?"

"Ya dede, ödünç aldım. Babaannemden, teyzemden, yengemden, evden falan yaaa. Satınca veririm paralarını. Satarım bugün zaten."

"Evladım herkesin evi bunlarla dolu, satılır mı bunlar burada? Lazım olursa hediye edilir. Köy yeri burası. Komşuluk bunun için var. 'Tarhanam bitti' dersin, çıkartıp verirler. Bakkaldan tarhana mı alınır? Çabuk git ver onları, bir daha da saçma sapan işler yapma böyle. O kartonu da indir camdan. Yöresel ürünmüş..."

"Yöresel ürün tabii. Kurabiyelere bak. Senin bisküvilerine on basar. Yıllardır zehirledik milleti... Çocukların dişleri çürüdü. Cips mi yenir? Cips sattık biz yaaa, cips sattık! Nasıl yapıldığı belli olmayan şeyler sattık!" diye diye atarlı kadının bütün atarlarını dedeme saldım.

Ama hem patronum hem dedem olduğu için beni kapının önüne koydu. Tek tek bütün kavanozları ve ürünleri aldığım yerlere götürdüm. Dedeme olan hıncımın intikamını onlardan aldım.

Babaanneme, "Beğenmediler salçanı, ne biçimmiş, bir daha güzel yapsın dediler" dedim.

Seher Teyzemin reçeline, Huriye Yengemin hoşafına "kötü" dedim. "Yiyemediler, geri yolladılar," dedim. Hatice Teyzenin dünyaca ünlü tarhana ve makarnalarını geri vermeye bile tenezzül etmedim, kapının önüne bıraktım kaçtım. Sinirden deli olmuştum.

Halamın kurabiyeleri kaldı bir tek elimde. Onları geri götürmeye kıyamadım. Geri götürürsem Allah

sevdiğine kavuştursun bölümüne takılacak ve kavuşamayacağını düşünüp üzülecekti. Kıyamadım. Bilmesin kurabiyelerin başına geleni...

Kurabiye kutusunu alıp gölün oraya gittim. Tam olarak göl sayılmaz, gölcük, belki de su birikintisi. Pisti göl, bataklık gibiydi. Koktuğu için kimse gelmiyordu. Ben kurbağaları seviyordum. Oraya gittim. Kurabiyelerden yerken Saddam geldi. Saddam'a verdim kurabiyelerden, bayıldı. Bir tane kendim yedim, bir tane Saddam'a verdim.

"Al bakalım Saddam. Yiyelim, sevenler kavuşsun" dedim.

Saddam'la ikimiz arkamıza baka baka bakkala geri döndük. Bundan sonra her sabah Saddam'a bakkaldaki en pahalı bisküvilerden bir tane ikram edecektim.

Oh olsun! Madem dedem kâr etmek istemiyor, o zaman zarar edelim.

Oh olsun!

Gıcır Şükriye

Günlük işlerim vardı bakkalda. Bunları tek tek yazayım, zamanın nasıl geçtiği hakkında fikir verir.

- Bakkalı süpürmek.
- Tezgahı silmek.
- Rafları kontrol etmek ve biten ürünleri dizmek.
- Ekmek dolabının içini temizlemek.
- Çöpleri boşaltmak.
- Kapının önüne su dökmek! (Temizliğin bir parçası)
- Ve külah yapmak.

Külah yapmak ciddi işti. Çok işe yarardı külahlar. Gazete kâğıtlarını kesiyorsun, elinle sararak çeşitli boyutlarda külahlar yapıyorsun. Bu külahlara çekirdek, çivi, yumurta, perde tokası falan koyuyorsun işte. Bir çeşit kese kâğıdı görevi görüyor.

Dedem tezgahın altına her elini attığında külah bulmak ister. Bulamazsa sinirlenir. Bu yüzden külah işine çok dikkat ederdim.

Takıntılı adamdı dedem. Olmayacak şeylere sinirlenirdi. Mesela **poşet**, onu en çok sinir eden şeylerin başında gelir. Poşetler bir kiloluk, iki kiloluk, beş kiloluk poşetler diye ayrılır. Diyelim ki müşteri bir kilo toz şeker istedi ve ben iki kiloluk poşete bir kilo toz şeker doldurdum ya, sinirden küplere biner mesela. Neden? Bilmiyorum.

Yetişkinler böyledir, **gereksiz** şeylerle kendilerini üzmeye bayılırlar. Poşet işini çabuk kavramıştım ama o dondurma olayından sonra sırf dedemi sinirlendirmek için her şeyi beş kiloluk poşetlere koyuyordum. Sinirden gözleri dönüyordu, ohhh diyordum, ohhhhhhh!

O zamanlar pakette kuruyemiş, çekirdek falan satılmıyordu. Çekirdekleri dedem kuruyemişçiden 20 kiloluk çuvallarda alıyordu, oradan külahlara çay bardakları ile doldurarak müşteriye veriyorduk. Köyde düğün, bayram, şenlik gibi bir şeyler olduğunda acayip patlıyordu çekirdek satışları. Saatlerce çekirdek dolduruyorduk tezgâhın arkasında.

Bir gün dedem, "Akşama düğün var, külah yapmayı unutma" dedi ve yemeğe gitti. Ben de gazeteleri kesip külah yapmaya başladım.

Derken aklıma **müthiş** bir fikir geldi!

Nasıl olsa akşama bir sürü çekirdek satacaktık. Akşama bardak bardak çekirdek doldurup müşteriyi bekletmek yerine, çekirdekleri önceden paketlersem daha hızlı hizmet verebilirdik. Süper fikir, dedim ve külahları doldurmaya başladım. Tam 50 külah çekirdek yaptım. Bir kutunun içine dizdim. Dedemden sıkı bir tebrik bekliyordum.

Yemekten dönünce tezgahın üzerindeki kutuyu gördü. İçinde 50 tane içi çekirdek dolu külah olan kutuyu gösterip,

"Bunlar ne?" diye sordu.

"Çekirdek işte. Akşama isteyene buradan veririz. Yerimizden kalkmayız. Oturduğumuz yerden satarız çekirdekleri, mis gibi paketli çekirdek. Nasıl fikir?"

Bu çocuk kime çekti böyle bakışını attı dedem.

"Tembel misin evladım sen? Müşteriye hizmet etmeye mi üşeniyorsun? Hazırcı mısın?" dedi.

"Haydaaaa.... Buradan onu nasıl çıkarttın yahu, öküz altında buzağı arıyorsun dedeee" diyecektim ama dedeye böyle denmezdi.

"Tembel olsam bir saattir bunları hazırlar mıydım dede?" diyebildim sadece.

Biz konuşurken içeriye Gıcır Şükriye girdi. Bela geliyorum demez...

Gıcır Şükriye buraların temizlik hastası. İşi gücü temizlik, deterjan, öyle şeyler... Aslında çok yaşlı, gözlerinin bile doğru dürüst görmemesi lazım ama o görüyor. Her türlü lekeyi, tozu görüyor. Bakkala her geldiğinde, "Temizlesene sen buraları" diyor bana. "Temiz zaten" diyorum ama inanmıyor. "Gözümle göreyim, süpür şuraları" diyor. Kaç kere onun gözünün önünde bakkal süpürdüm. Ve tabii diğer müşterilerin önünde...

Çok sinir bir durum, anlatamam. Ama dediğini yapmak zorundayım. Neden? Çünkü müşteri her zaman haklıdır. Saçma sapan istekleri olsa da, haklıdır.

Gıcır Şükriye bir gün torununu gönderdi bakkala.

"Bobannem tuz ruhu istiyoo" dedi toraman çocuk.

Baktım, bulamadım tuz ruhunu. Dedem bazen öyle değişik yerlere sokuyor ki bakkaldaki ürünleri, yerini sadece kendisi biliyor. Kim bilir nereye koymuştur dedim, çok da aramadım. Ama Gıcır Şükriye'ye bir paket yemek tuzu gönderdim.

"Bunu bobannene ver, şimdilik tuzu alsın, ruhunu arkadan gönderirim" dedim toramana.

Beş dakika sonra geldi Gıcır Şükriye. Onunla dalga geçmeye utanmıyor muymuşum, ne edepsizmişim, falan. Söylendi, söylendi, tuz ruhunu almadan gitti.

Gıcır Şükriye'nin en sevdiği şeylerden biri Akif Suyu'ydu. Eskiden, çok eskiden, Akif Suyu diye bir çamaşır suyu markası varmış. Sonra üretilmemeye başlamış. Yerine bir sürü çamaşır suyu geldi bakkala. Gıcır Şükriye'yi ikna edemedik.

"Bak o, markanın adı. Artık üretilmiyor. Şimdi yenileri var. Bunların adı çamaşır suyu. O da çamaşır suyu, bu da çamaşır suyu" dediysek de inandıramadık.

Tuz ruhunu almadan gitti ya, yarım saat sonra toraman torununu bir daha yolladı. "Bobannem Akif Suyu istiyooo" dedi oğlan. Dur bir de toruna anlatayım, belki o Gıcır Şükriye'ye anlatır diye düşündüm.

"Akif Suyu yok. Akif'i zabıtalar yakalamış. İşiyormuş şişelerin içine hep. Bize çamaşır suyu diye çişini satıyormuş adam. Yıllarca onu kullanmışız. O yüzden sarıymış o çamaşır suyu. Satmıyoruz artık onu. Bunu babaannene anlat, ben sana başka çamaşır suyu vereyim, onu götür" dedim ve yolladım toraman torunu.

Gıcır Şükriye, beş dakika sonra daha bir hışımla girdi içeriye. Dedem de bakkaldaydı. Bir sürü şey anlattı dedeme. Tuz ruhu yerine tuz gönderip dalga geçmişim. Yalancıymışım. Elin adamına iftira atıyormuşum.

İçimden, "Sana ne, Akif'in avukatı mısın?" diyordum, ama dışımdan sesim çıkmıyordu.

Sonrası şöyle oldu:

"Doğru mu Şükriye Ablanın dedikleri?"

"Abartıyor dede yaaa."

"Doğru konuş. Ne dedin kadına?"

"Tuz ruhunu bulamadım. Tuz gönderdim, ruhunu arkadan yollarız dedim."

"Tuz ruhunu neden bulamadın?"

"Ne bileyim, nereye kaldırdıysan artık! Bulsan satardım zaten, ben istemez miyim bakkal kazansın, köşeyi dönelim, ikinci katı çıkalım?"

"Başlatma ikinci katına... Akif Suyu ne?"

"Ne bileyim dede ben yaaa. Takmış bu kadın Akif Suyu'na. Yok diyorum anlamıyor, ben de uydurdum, Akif şişelere işiyormuş, zabıtalar yakalamış dedim."

Bu bölümde azıcık güldü dedem. Bozuntuya vermedi ama ben yakaladım bakışlarından. O da sevmiyordu Gıcır Şükriye'yi. Arada ona da yer süpürttürüyordu kadın. Biliyordum.

"Yalan söyleme müşterilere. Müşterilere değil,

kimseye söyleme" dedi.

Çok da uzatmadı. Ben Gıcır Şükriye olayını uzatır, kızar diye bekliyordum. Demek haklıydım, o da sevmiyordu kadını.

Ama o gün, çekirdek olayında, en son gelmesi gereken müşteriydi Gıcır Şükriye.

"Bana iki bardak çekirdek ver bakalım" dedi içeriye girince.

Hemen hazır külahlardan birini uzattım.

"Buyurun" dedim. "Hazırda bekliyordu zaten, buyurun."

"Aayy onlardan istemem. Kim bilir ne zaman doldurdun... Salmıştır o çekirdekler kendilerini. Ne bileyim neyle doldurdun, bardakla mı avcunla mı? Temiz miydi ellerin ben ne bileyim? Taze doldur bana, gözümle göreyim" dedi.

Dedem bana, "Gördün mü" bakışı attı o an. Sonra da, "Git boşalt o çekirdekleri" dedi.

Gıcır Şükriye'ye sinir ola ola boşalttım külahları. İki saat sonra, düğün başlayınca o külahlara aynı çekirdekleri tekrar doldurup müşterilere verdim.

İçim sıkıla sıkıla, "Çocukların Yetişkinlerle İletişimde Dikkat Etmesi Gereken Hassas Konular" başlıklı defterime yedinci maddeyi yazacaktım. Canım o kadar sıkkındı ki, çok uzatmadım.

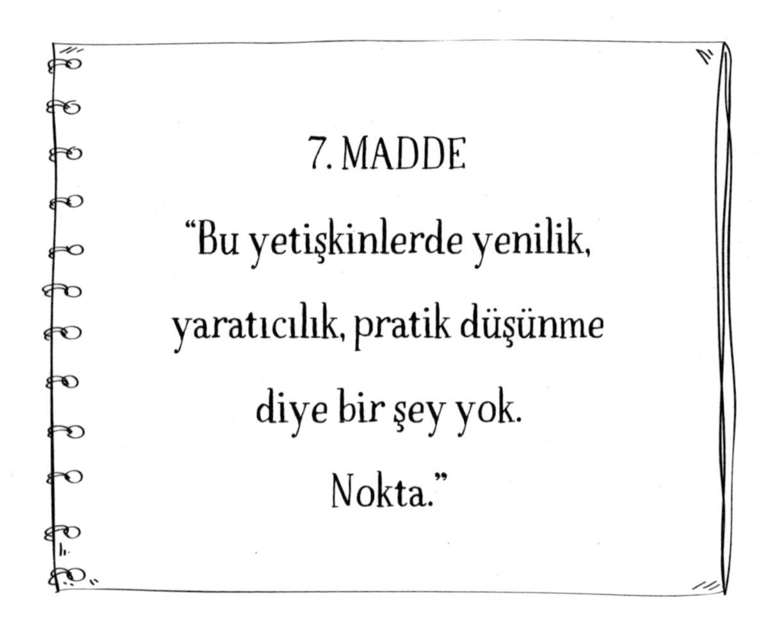

Seni Seviyorum

İyi bir bakkal çırağı olmak istiyorsan dilini tutmak zorundasın. Ağzını tutmana gerek yok, yiyebildiğin kadar ye. Çeneni tutmak zorunda değilsin, konuşabildiğin kadar konuş. Ama dilini tutmak zorundasın. Çünkü eğer bir bakkalsan, her şeyi bilirsin. Kimsenin bilmediği şeyleri...

Bazen parası olmayan insanlar gelip dedemden borç para istiyorlar. Dedem "Durumlarının olmadığını kimseye söyleme" diyor. Söylemiyorum, hem zaten bana ne!

Bazen birileri gelip borcunu ödeyemeyeceğini söylüyor, dedem, "Canınız sağolsun" diyor. Bu duruma gıcık oluyorum ama dedem kızar diye kimseye söylemiyorum.

Bazen kavga eden insanlar geliyorlar. Dedem aracı oluyor, barışıp gidiyorlar. Dedem, "Burada olup bitenleri, konuşulanları asla kimseye söyleme" diyor. **Bana ne yaaaa**, niye söyleyeyim?

Sadece dedeme çok kızdığım zamanlarda, Kahveci Dedeme gidip her şeyi takır takır anlatıyorum. İçimde çok biriktirdiğim için biraz da kendi hayal gücümü katıyorum. Ama Kahveci Dedem zaten gamsız adam. "Duydun mu dünya yanmış" desem, sadece "Yapma yauuuvvv" der.

Ben bütün bu olanları anlatınca Kahveci Dedem sadece "Boşveeeer, kap bir oralet!" diyor. Bozmuş oraletle kafayı! Anlattıklarıma hiç şaşırmıyor. Kimseyi şaşırtmayan bir haberin benim için bir değeri yok. O yüzden pek de umursamıyorum.

Amaaaa, Şükran Abla gelince, kulaklarım dikiliyor ve otuz iki dişimle sırıtıyordum. Çünkü Şükran Abla 5 jeton alıyor! Sevgilisi askerde Şükran Ablamın. Bu jetonlarla sevgilisini arıyor. Beni de telefon kulübesine bekçi dikiyor.

"Biri gelirse, kulübeyi tıklatıver gülüm" diyor. "Dinleme ama!" diye de tembih ediyor.

"Neden dinleyeyim Şükran Abla? Bu bakkalda neler oluyor, sen bir bilsen! Ne fakirlere para dağıtıyor dedem, ne küsleri barıştırıyor. Ne kavgalar çıkıyor bu bakkalda, ne hesaplar siliniyor... Benim hepsinden haberim var, ama kimseye anlatmıyorum" diyorum.

Şükran Abla kulübeye girince kendinden geçiyor. İlk iki jetonu sevmiyorum. Hep "Nasılsın, iyi misin, ben de iyiyim, abim şöyle dedi, babam böyle dedi" falan...

Üçüncü jetondan sonra heyecanlı bölüm başlıyor.

"Seni seviyorum" diyor Şükran Abla. "Çok seviyorum" diyor. Yemin ediyor.

"Özledim" diyor. "Kavuşacağız" diyor.

Kulağımı kulübeye yapıştırıp dinliyorum. Gülüyor Şükran Abla. Sonra bitiyor jetonlar. Şükran Abla kırmızı yanaklarla çıkıyor kulübeden.

Onu da babası vermeyecek bu çocuğa. Dedem de halamı vermiyor zaten. Ne gıcık yaaaa. Bir gün bütün bu sevenleri buluşturmanın yolunu bulacağım!

Kel Hasan, Şükran Ablamın babası. Kocaman bir adam. Dev gibi boyu var, göbekli. Yemiş yemiş, doymamış... Boyundan posundan da utanmıyor. (Aslında Kel Hasan, normal bir adam. Ama ben onu Şükran Ablamın sevgilisinin gözünden öyle görüyorum.)

Kel Hasan'a bazı ürünleri iki katı fiyatına satıyorum, zam yapıyorum. Almazsa almasın. Kendi bilir. Başka bakkal yok, mecbur alacak. Daha zam yaptığımı hiç fark etmedi. O fazladan aldığım paraları toplayıp bir köşede biriktiriyorum. Bunlar Şükran

Ablamın düğün parası. Öyle düşünüyorum.

Şükran Abla geldiğinde fazladan 5 jeton daha veriyorum. Böylece çok adil bir iş yapmış oluyorum. Şükran Abla jetonları ilk verdiğimde, neden fazladan verdiğimi sordu.

"Haftada bir gün jetonda kampanya yapıyoruz" dedim. Parasını babasından kestiğimi söylesem korkusundan almaz.

5 fazladan jeton benim için daha çok "Seni seviyorum" demek. İlk seferde iyiydi, güzel güzel konuştular ama ikinci defa fazladan jeton verdiğimde, fazla jetonlarla kavga ettiler. Bu aşıkları anlamak gerçekten zor...

Mürüvvet Ablayla Ferit Abi de öyle deli gibi aşıktı. Acayip olaylar oldu. Mürüvvet "Kaçarım" dedi, babası "Vermem" dedi, kız inat etti, Ferit kızın babasına kafa tuttu, araya birileri girdi... Olaylar olaylar... Sonunda evlendiler. Şimdi hep kavga ediyorlar. Bizim komşumuz onlar, hep kavga seslerini duyuyorum.

Al işte, Şükranlar da birbirine girdiler. Kestim jetonu! Artık jeton meton yok! Fazladan jetonu geçtim, normal jeton bile yok! Kel Hasan'a da indirim yaptım. Ona da her şey normal fiyatına artık, ohhhh!

Şükran Ablaya bir dahaki gelişinde hiç jeton satmadım, "Kalmadı" dedim. Çizgisiz kâğıt, zarf ve tükenmez kalem sattım. Otursun yazsın. Nasıl olsa postaya vermek için yine bakkala gelecek. Çünkü mektupları biz topluyoruz. Dedem haftada bir kez postaneye gidip bütün mektupları toplu olarak gönderiyor.

Mektup okumak kulübe dinlemekten daha eğlenceli. Beğenmediğim yerleri düzeltme şansım da oluyor böylece.

İlk mektubu iyiydi Şükran Ablanın. İkincide saçmaladı. Ben de onun yazdığı mektubun son sayfasını silip yerine şiir yazdım.

Şükran Ablam yaaaa... Telefonda "Seni seviyorum" diyordu ama mektupta yazamamış. Korktu galiba birileri okuyacak diye. Kim okuyacak ki oysa? Sadece ben okurum. Ben de kimseye anlatmam, yazsaydın keşke... Neyse ben yazarım. Ama yine de şiir çok belirgin olmasın. Şükran Ablamın günlük yaşantısını anlatsın yeter.

Sabah erken kalkıyorum,

Evi temizliyorum.

Nasıl gıcık abimle babam,

İnan sana anlatamam.

Sonra bakkala gidiyorum hemen,

En güzel bakkal bizimki zaten.

Ve çok tatlı bir çırağı var.

İstiyorum 'bana 5 jeton ver',

Yok diyor, hiç vermiyor.

Oysa ne güzel kampanya vardı,

Ruhumda kelebekler kanat çırpardı.

Unutma bu şiirde bir sır var,

Mektubu yukarıdan aşağıya okuyuver.

Şiir çok güzel oldu. Ama altına Şükran yazmaya yüreğim el vermedi. Sonuçta mektup Şükran'ın olabilir ama şiir de benim yani... Kendi adımı yazdım yolladım. Sevgilisi sorarsa onu da Şükran Abla açıklasın, bana mı dert yaaa.

Her şeyi ben mi düşüneceğim bu bakkalda?

Bakkalda en sevdiğim, hatta sevmekle kalmayıp hayran olduğum en önemli şey: Kolonya dolum şişesiydi.

Bakmaya doyamıyordum. Dedem onu köşeye koymuştu. Büyük, şişman, yanından pompası sarkan, harika bir şeydi. Köşede öyle tek başına durduğu için **"Müdür"** adını koymuştum ona. Şişede satılan kolonyalar da vardı ama bu daha ucuzdu. Doldurmak çok keyifli geliyordu bana, o yüzden meslek hayatımda ilk kez, kolonya satarken insanları ucuzuna yönlendiriyordum.

"Şişe kolonya alma, ne gerek var, boş şişeyi getir onu dolduralım. Hem bu daha güzel kokuyor. Gerçek limon kolonyası. İçinde gerçek limon vardı, biz çıkarttık" falan diyordum.

Sonra da sessiz sessiz dokuz kere **"Tövbe, tövbe, tövbe, tövbe, tövbe, tövbe, tövbe tövbe, tövbe"** diyordum.

Şu bakkalda yalandan ölecektim... Ama çok güzeldi kolonya dolum şişesi, ölmeye değerdi. Gelip geçerken avucuma dolduruyor, üstüme başıma mis gibi kolonya döküyordum.

"Güneşe çıkmadan önce saçına kolonya sürersen saçının rengi açılır" dedikleri için bir keresinde kafamı kolonya şişesinin altına tutup kolonyayla yıkamıştım. Mis gibi koktu ama şişenin içinde hiç kolonya kalmadığını sonradan fark ettim.

Gazoz dolabında gazoz bitince gidip depodan alıp getiriyordum da, kolonya bitince nereden alınıp yerine konuyordu hiçbir fikrim yoktu.

Gittim depodaki bütün bidonları karıştırdım. Dedeme yüz bin kere gıcık oldum. "Kim bilir nereye koydu da bulamıyorum" diye söylendim. Bulamayıp bakkala geri döndüm.

"Ne yapcaz şimdi müdür?" dedim şişeye.

"Su koysam içine" diye düşündüm. Dedem çakarsa çok fena kızardı. Sütçü Nurettin'e, "Süte su katıyormuş" diye söyleniyordu. Ben kolonyaya su katarsam, beni elinden kimse alamazdı.

"Sorarsa sattım derim" dedim. "Dokuz tövbe de onun için çekerim, ne var" diye düşündüm. Ve sordu.

Dedem kapıdan içeri girdi ve sonrası şöyle oldu:

"Bu koku ne yav, berber dükkânı gibi... Amma kokutmuşsun?"

"Çok kolonya sattım ondandır."

"Bayram değil, seyran değil, ne kolonyasıymış."

"Ne bileyim... Komşu köyden geldiler, mevlüt mü ne varmış, çok kolonya lazım dediler, 3 şişe doldurdum."

"Mevlüte!"

"Hıı, öyle dediler. Kolonya dökeceklermiş."

"Gel buraya."

"Nereye?"

"Kafanı getir, kafanı..."

" "

...

"Sırılsıklam kolonya! Evladım kolonyayla mı yıkadın kafanı? Kime çektin çocuğum sen, niye değişik değişik şeyler yapıyorsun? Kafanla mı bitirdin kolonyayı?"

Sinirlendim. Hırslandım. Kolonya başıma vurdu. Dedem söylenirken ağlaya ağlaya çıktım bakkaldan. Güneşin altına oturdum. Tövbe de etmedim. Saçlarımın rengi de açılmadı.

Olay kapandıktan sonra bir süre uzak durdum müdürden, kolonya şişesinden yani...

Kışın da çok seviyordum onu. Dedim ya, dedem

soba kuruyordu bakkala. Ben de kışın on beş tatil boyunca dedeme yardım ediyordum bakkalda. Dedemin olmadığı zamanlarda kolonya dolum şişesinden bir avuç kolonya alıp sobanın üstüne atıyordum. Alkolün etkisiyle sobanın üzerinde mavi-mor alevler oluşuyordu. Küçük çocuklar gelince, onlara gösteri yapıyordum.

"Bakın size ne göstereceğim. Elimdeki kolonyaya bakın. Sobanın üstüne dökünce hoooop işte böyle mor ışık çıkıyor. Siz de evde deneyin, çok eğlenceli" diyordum. Kendi yaptığım yetmiyor, bir de çocukları teşvik ediyordum.

Bir gün dedeme yakalandım. Ne ara gelmiş, ne ara görmüş anlamadım. Ben gösteriye odaklanmıştım. Kızdı tabii.

İçimden, "Ödü patlıyor kolonya bitecek diye yaaa, bu kadar mı cimri olunur" diye söyleniyordum. Sonra dedem olduğunu hatırlıyor, üzülüyordum. Daha yumuşuyordu duygularım.

"Belki de yangın çıkartıp bakkalı yakmamdan, onu iflas ettirmemden korkuyordur" diye düşünmeye başlıyordum. Kendime zarar vermemden, kendimi yakmamdan korkabileceği, bunun için kızmış olabileceği aklımın ucundan bile geçmiyordu. Çocukken bu ihtimalleri göz önünde bulunduramıyorsun.

Kabul edelim, çocukların olayların önem sırasını mantıklı bir şekilde sıraya dizmeyle alakalı ciddi bir sorunu var. Başka da bir sorunları yok zaten. Çocuklar mükemmel insanlar...

Kış aylarında, sobalı bir bakkal demek, müşteriler için daha fazla oyalanabilecek, daha yavaş alışveriş yapılacak sıcak bir mekân demek. Benim için bir mahsuru yoktu. Seviyordum müşterilerle sohbet etmeyi.

Bazen sadece kendimin bildiği bir oyun oynuyordum. Mesela kapıdan giren herkese "Çok soğuk değil mi?" diye soracağım. "Hem de nasıl", "Dondum, dondum", "Çok soğuk!" cevaplarından herhangi birini tutturursam kendime bir çikolata ısmarlayacağım. Bunun gibi oyunlar. Genelde çikolatayı kazanıyordum. Kazanamazsam da kendimi teselli etmek için, kendime çikolata ısmarlıyordum.

Üstlerini dışarda silkeleyip geldikleri sürece bakkalda istedikleri kadar oyalanabilirlerdi. Ama bazıları öyle yapmıyor, içeriye kardan adam gibi giriyordu. Üstünü bakkalın içinde silkeliyordu. Sonra yerler ıslanıyordu ve ben yerde paspas niyetine kullandığımız kutuları değiştiriyordum. Bunun için bahçeye çıkmam ve üşümem gerektiğinden o müşterilere sinir oluyordum.

Yine de çok sakin oluyordu kışın bakkal. Pek gelen giden olmuyordu. Benim en sevdiğim kısım yeni yıl haftasıydı. Sıradan bir köy bakkalı olabilirdik, ama neticede biz de yeni yıla giriyorduk.

Cama "Hoş geldin Yeni Yıl!" yazıyorduk.

Yeni yıla tam on gün kala, dedem depodan kocaman bir demir raf getiriyordu. Bir sürü de kartpostal... O kartpostalları tek tek raflara diziyorduk. Üzerinde şehir resimleri olan kartlar, kar manzaralı kartlar, sanatçı resimlerinin olduğu kartlar... Kart yazıyordu insanlar sevdiklerine. "Yeni yılınızı kutlar, bir şeyler bir şeyler dileriz" diye yazıp uzak şehirlere gönderiyorlardı. Sevgililerine, akrabalarına kart gönderenler vardı. Ama en çok da asker arkadaşlarına gönderiyorlardı.

Önceki yıl bütün kartları satamadığımız için eskilerini de çıkartıyorduk. Yeni kartlar geldiğinde zaten eski kartlara çok benziyordu. Şehirler, sanatçılar, karlı dağlar...

Bir gün kartları raflara dizerken aklıma **dâhiyane** bir fikir geldi. Bunlar çok **sıkıcı** kartlardı. Ben kesinlikle daha iyisini yapabilirdim. Kafaya koydum, daha iyisini yapacaktım. Öyle güzel kartpostallar hazırlayacaktım ki, bütün köy hayran kalacaktı. Bizim köyden postalanan kartlar dilden dile dolaşacaktı, ertesi sene daha çok yapacaktım. Böylece **köşeyi dönecektim.** Bakkalı büyütmem için çok para lazımdı.

Günlerce kartları düşündüm. Önce kafamda canlandırmam gerekiyordu. Nasıl yapacağıma karar verdim. Kart dediğin **kalın** olurdu. Elimde kalın kâğıt olmadığı için, resim defterindeki kağıtları kesip birbirine yapıştırdım. Çok kalın olmadı ama idare ederdi.

Bütün bir yıl boyunca bu kartlar üzerinde çalıştım. Düşündüm, çizdim, beğendim, beğenmedim, sakladım, yırttım, tekrar başladım...

Sevgililer için gönderilecek kartların üzerine kalpler çizdim. Kalpli kalpli, üzerinde "Seni seviyorum", "Seni bu yıl da seveceğim" yazan kartlar çizdim, boyadım.

Akrabalara gönderilecek kartların üzerine çiçekler, ağaçlar çizdim. Kış diye illa kar manzaralı kart mı göndermek gerekiyordu? Ne saçma bir şey... İnsanlar kar manzarası göreceklerse camdan dışarı baksınlar. Kışın insanlara üzerinde deniz resmi, çiçek resmi, yemyeşil ağaç resmi olan kartlar göndereceksin ki içleri açılsın. Ben de onları çizdim işte. Hiç kar manzarası çizmedim. Çiçekler çok güzel olmadı ama gemili kartlar on numaraydı.

Sevgili kartları tamamdı, akraba kartları da... Ama asker arkadaşlarına gönderilen kartlara ne çizmem gerektiğini bir türlü bulamadım. Bir insan asker arkadaşına neden kart gönderir ki?

Ne çizecektim bunların üzerine?

Etrafımdaki bütün yetişkin erkeklere askerlik anılarını sorarsam bu meseleyi çözerdim. Kilit sorum, "Askerde en çok ne yapıyordunuz?" sorusuydu.

Dayıma sordum. "Yerlerden çöp topladık, sürekli

yerden çöp topladık" dedi.

Amcama sordum. "Sabahları çok erken kalkıyorduk, nefret ediyordum erken kalkmaktan," dedi.

Enişteme sordum. "Sürekli kuru fasulye yiyorduk, hatırladığım tek şey kuru fasulye. Askerde o kadar bıktım ki, bir daha asla yemedim" dedi.

İtiraf etmek gerekirse daha aksiyonlu hikâyeler bekliyordum. Yani ne bileyim, "Düşman askerleri geldi, savaştık. Kurşun bana isabet edecekti, asker arkadaşım önüme atladı, kurşun ona geldi. Hayatımı kurtardı ama o sakatlandı, günlerce hasta yatağının başında bekledim. O sırada orada bir hemşire vardı. Çok güzel kızdı, ona aşık oldum. Evlendik, nikah şahidimiz asker arkadaşımız oldu" falan gibi hikâyeler canlandırmıştım.

Hepsi tırt çıktı... Yok çöpmüş, yok içtimaymış, yok kuru fasulyeymiş... Bunların kartpostalı mı olur?

Düşündüm ve en somut yine de kuru fasulye geldi. Bir tabak kuru fasulye çizdim. Turuncu zemin üzerine krem rengi taneler... Kuru fasulye olduğu çok anlaşılmadığı için üstüne de "Kuru fasulye' yazdım. Parantez içine de (eski günlerdeki gibi) diye not düştüm. Kendim de çok beğenmedim. "Bu kart kesin elimde kalır" diyerek diğerlerinin arasına koydum.

Ertesi yıl yılbaşı hazırlıkları yaparken kendi kartlarımı da çıkarttım. Hülya Avşar'ın kartpostallarıyla yarışamayabilirdim ama kar manzarasından çok daha iyiydiler. Yine de garip bir şekilde hiç taliplisi çıkmadı. Her gelene "Bakın bunlar da var!" diyerek kendi kartpostallarımı gösterdim ama kimse bakmadı.

Yalnız bir gün Osman Abi geldi. Osman Abi 16-17 yaşlarında aşırı gıcık bir abi. Kartpostallara baktı, baktı, baktı, baktı, baktı ve kuru fasulyeli kartpostalı aldı.

"Sana satamam, sen askere bile gitmedin, oradaki espriyi bilmiyorsun. Ayrıca bir asker arkadaşın yok, gönderemezsin" dedim.

"Sen gittin mi askere?" dedi.

Doğru, ben de gitmemiştim. Osman Abi kazandı, kartı iki katı fiyata sattım.

İlk kartpostal deneyimim tam bir fiyaskoydu. Oysa ben herkesin çok beğeneceğini ve bütün evlerde benim kartpostallarımın olacağını sanıyordum.

Üzüldüm mü? Evet.

Tekrar denedim mi? Hayır.

İçimde kaldı mı? Evet...

Osman Abi gittikten sonra müdürden bir avuç kolonya aldım ve sobanın üstüne attım. Acayip güzel mor ışıklar çıktı, onları seyrederken dedem kulağımdan yakaladı.

"Bir daha kolonyaya yaklaşma" dedi.

Bu dedemin gerçekten süper güçleri vardı. Hiç ses çıkartmadan bakkala girip, beni en zayıf anımda enseleyebiliyordu...

Kandil akşamlarını aşırı seviyordum. Evdekiler "bu akşam kandil, ne dilek dilersek kabul olur" diyorlardı. Havalara zıplıyordum. Babaannemle annem, "Ah yavruuum, bak nasıl da seviyor kandilleri, maşallah maşallah" falan diye seviniyorlardı.

Benim hesaplarım başkaydı oysa.

Kandil demek, küçüklerin, büyüklerin ellerini öpmesi ve hayırlı kandiller dilemesi demekti. Bu da büyüklerin küçüklere yiyecek bir şeyler vermesi demekti. Yiyecek bir şeyler bakkalda satılırdı? Bakkal kimin? Bizim. Demek ki neymiş? Kandil demek, aşırı satış demekmiş. Camiden çıkan adamlar bakkala geliyor, bir şeyler alıyor ve çocuklara dağıtıyordu. Çocuklar ip gibi sıraya giriyor ve kandillik yiyeceklerini topluyorlardı.

Bu aynı zamanda şu demekti. Bir hafta boyunca bu çocuklar bir daha bakkaldan hiçbir şey almayacaklar! Bir hafta boyunca bu çocuklar heybeden yiyecekler!

Bir hafta boyunca ben bu çocuklara hiçbir şey satamayacağım!

Tamam, toplu satış yaparak bir kerede köşeyi dönüyordum ama neden bir kere olsun? Köşe sadece bir kere mi dönülür? Dönülmez. Öyleyse bir çözüm bulmam lazım.

O gün kandildi. Sabahtan evden çıktım. İçimde bir sevinç ve bir sıkıntı... Sevinçliyim çünkü, kutu kutu bisküvi, çikolata satacağım. Sıkıntılıyım çünkü sonraki hafta daha az satış yapacağım, bu meseleyi henüz çözemedim. Bir yol bulmam lazım, bir yol bulmam lazım diye deli gibi dolanıyorum.

Dedem gazete okumaya bayılır. Ben ona çırak olduğumdan beri iyice serdi işleri. Bütün gün gazete okuyor. Bıraksam yemeğe, camiye, kahveye, tuvalete bile gazeteyle gidecek!

Bakkala bütün gazeteler gelir. Hepsinin sahibi vardır. Kimin hangi gazeteyi okuduğunu biliriz. Gazeteler sabahtan gelir bakkala ama biz öğleye doğru dağıtırız. Çünkü dedem bütün gazeteleri sahibinden önce okur. Bana kalırsa **dünyanın en bilgili adamı Bakkal Dedem.** O kadar çok gazeteyi ben de okusam ben de öyle olurum.

Öğleden sonra da kendi gazetesini okur. Sıra ona ancak geliyor. Aynı haberleri bir oradan, bir buradan okuyunca ne oluyor anlamıyorum. Ama adam bayılıyor gazete okumaya işte! Koltuğuna yaslanıp okuyor. Arada gazetenin üstünden bana bakıyor. **Hem gazete okuyup hem benim hatalarımı nasıl yakalıyor hâlâ anlamış değilim.**

Ben de dedemin olmadığı zamanlar, dedemi taklit ediyorum. Kendi kendime bulduğum bir oyun bu. Bazen can sıkıntısından patlıyorum burada. Her zaman o kadar çok gelen giden olmuyor sonuçta. Oyun şöyle: Kapıdan içeriye dedem gibi giriyorum. Sesimi dedem gibi değiştirip,

"Noptun yarleri söpürdün mö?" diyorum yere baka baka.

Sonra hemen kendim olup cevap veriyorum:

"Süpürdüm dede, kapının önüne de su döktüm."

Sonra tekrar dedem olup, "Öfferin, horika bir bakkal çurağısın. Sen olmasan bön bu dökkanı çövüremem, iyi ki almışım seni çuraklığa" diyorum.

Dedem gerçekte böyle demiyor tabii, bunları kendim uyduruyorum. Ben dede olsam torunuma kesin böyle şeyler söylerdim.

Sonra "Bön büraz gaste okuyayım" diyorum ve koltuğa kasılıyorum.

Arada kafamı kaldırıp orada olmayan beni dikizliyorum. Bence bu çok eğlenceli bir oyun.

O gün dedemin taklidini yapıp gazete okurken önce spor haberlerini okudum. Tersten okumayı seviyordum. Gıcıklık değil mi? Tersten başlıyordum. Başlar sıkıcı oluyordu zaten. Hep savaş, hep kavga, Cumhurbaşkanı, Başbakan, partiler, kazalar, ölüler öfff... Sonlar daha eğlenceliydi. O yüzden sondan başlıyordum.

Orta sayfalarda bir haber gördüm. Afrika'daki çocuklara yardım götüren ve yiyecek dağıtan arabaların resmi vardı. Ben ne zaman sofrada yemeğimi bitirmesem annem, "Afrika'daki çocuklar senin yemediğin o yemek için çırım çırım ağlaşıyorlar.

Anneleri onlara taş kaynatıp içiriyor, taşşşş! Hepsi aç çocukların... Sen varken yemiyorsun. Nankör! Ye yemeğini!" falan diyordu.

Gıcık oluyordum.

"Çok da gittin Afrika'ya, çok da biliyorsun Afrika'yı, çok da duydun annelerinin ne dediğini!" diye söylene söylene bitiriyordum tabağımı.

Çocukları gazetede görünce yine annem aklıma geldi. İçime bir sıkıntı çöktü. Evde çok üstüme geliyordu annem. Yemek ye, ortalığı topla, evi dağıtma, burnunu karıştırma, bağırmadan konuş, beni dinle... Amaaaan... Bu bakkal işi iyi olmuştu. Uzaklaşmıştım evden.

Bizim bir Osman Dayı var. Nereden dayımız bilmiyorum ama dayımız işte. Osman Dayı bazen bakkala geliyor, bir tabure istiyor ve saatlerce bakkalın önündeki taburede oturuyor. Emekli zaten, işi de yok. Bir gün ona sordum.

"Canın sıkılmadı mı, eve neden gitmiyorsun?" dedim.

"Evde sürekli Fikriye Yengeni dinliyorum. Bana

hiç rahat vermiyor. Her şeyime karışıyor. Ondan kaçtım, bak şimdi konusu açıldı gene tadım kaçtı" dedi.

Anlıyordum Osman Dayıyı. Cidden. Aynı durumdaydım. Ben de annemden kaçıyordum. Bak şimdi gazetede çocukları gördüm, yine tadım kaçtı. Gazeteyi kaldırıp attım.

Ama o saniye aklıma **dâhiyane** bir fikir geldi.

Hemen gazeteyi geri alıp sayfayı açtım. Tabii yaaa! Bunu nasıl düşünememiştim? Afrikalı çocukların resmini oradan kestim. Gazete Vedat Amcanın gazetesiydi. Kupon toplamak için alıyordu gazeteyi. Okumadığına adım gibi emindim. Her akşam bakkala gelip, "Aç bakalım televizyonu, memlekette ne olup bitiyor bir görelim" diyordu çünkü. Eğer aldığı gazeteyi okuyor olsa, memleketten haberi olurdu. Kuponlara da zarar vermediğime göre sorun yok. Vedat Amca gazetesini kestiğimi anlamazdı bile.

Afrikalı çocukların resmini boş bir kutuya yapıştırdım ve kutuyu sakladım. Dedem bunu bir süre görmese iyi olurdu.

Akşamüstü çocuklar bakkalın önüne toplanmaya başladılar. Aç kurtlar! Hepsi de ellerinde kocaman poşetlerle gelmişler. Sanırsın hiç çikolata bisküvi görmemişler. Bekliyorlar. Gidip yanlarına oturdum. Biri gelip peksimet dağıttı. Yağlı yağlı, yumuşacık, pufidik pufidik hamur. Çok güzel kokuyor. Bütün çocuklar kapıştılar. Yağlı parmaklarını yalaya yalaya yediler. Almadım ve yemedim. Çok canım çekti ama yemedim.

Özlem, "Sen neden yemiyorsun?" dedi.

Sesimi yükselttim.

"Ben sizin gibi vicdansız mıyım? İşiniz gücünüz yemek. Afrika'daki çocuklar aç. Sizin yemediğiniz o peksimetin bir yudumu için neler vermezler be, neler vermezler! Onlar açken benim boğazımdan geçmiyor. Azıcık insanlık öğrenin ya, azıcık insanlık öğrenin" deyip bakkala girdim.

Satış yapmam lazımdı. Gelen müşterilere koli koli bisküvi, çikolata, meyve suyu sattım. Onlar da bakkalın önündeki çocuklara dağıttılar, çocuklar da poşetlerine doldurdular. İnanılmaz bir hızla doluyordu poşetler. Çocuklar bayram ediyordu resmen.

Son müşteri gidince önceden hazırladığım kutuyla çocukların yanına gittim. Afrikalı çocukların resmi vardı üstünde.

"Bakın çocuklar, çok büyük sevap! Bu çocuklar aç! Hepsi aç... Hiçbiri daha önce bu yediklerinizden yemedi. Kutuya bırakın kandilliklerinizi, Afrika'ya göndereceğim. Bugün kandil. Yardımınızı bu aç çocuklardan esirgemeyin."

Biliyordum, hepsi o an annesini hatırladı. Çünkü kesin onların evde de aynı örnekler veriliyordu.

Ve ilk önce Nilgün bıraktı poşetini, sonra Nesrin, sonra Olcay, sonra Ender ve hepsi. Kutu doldu taştı. Topladıkları her şeyi geri aldım. Teşekkür ettim. Çok büyük bir iyilik yaptıklarını, çok büyük sevap işlediklerini anlattım. Evlerine gittiler. Yarın gelirlerdi yine alışverişe. **Offf çok akıllıydım** çok. Dedem çok şanslıydı.

Ve dedem geldi. Bakkalın ortasındaki kocaman kutuyu gördü. Sonrası şöyle oldu:

"Bu ne?"

"Ne ne?"

"Şu?"

"Kutu."

"Onu gördük, ne kutusu?"

"Hayır kutusu."

"Ne hayrı?"

"Afrikalı çocukların hayır kutusu."

"Kimin kimin?"

"Afrikalı çocukların."

"Kim verdi bunları?"

"Ben topladım."

"Kimden?"

"Çocuklardan. Onların kandillikleri bunlar. Bana verdiler. Afrika'daki çocuklara. Kandilse sadece bize mi kandil? Onlara da kandil!"

"Afrika nerede biliyor musun sen?"

"Anneme sor. O biliyor. Gitmiş sanki Afrika'ya. Pek biliyor o, o götürür."

"Dalga geçme, ne yapacağız bunları? Evladım sen niye böylesin? Niye bana sormadan acayip işler yapıyorsun?"

"Senin için ya, senin için. Elinde bir poşet abur cuburu olan çocuk gelir mi bir daha bakkala? Bir hafta müşterin olmayacaktı. Tarihi mi geçsin bütün malların? Bunu mu istiyorsun?" diye çıkıştım.

Dedem şaşırdı.

"Sen çocukların elinden kandilliklerini bunun için mi aldın?"

Hah işte anlamıştı gerçek niyetimi, sevinecekti şimdi.

"Eveeet, bunun için aldım. Anladın mı şimdi? Bizim için. Daha çok satış yapalım diye!"

Dedemin burnundan dumanlar çıkmaya başladı.

"Evladım günah. Evladım ayıp! Evladım sen ne biçim insansın?" diye bağırdı.

Artık dayanamıyordum. Açtım ağzımı yumdum gözümü.

"Afrikalı çocuklara yardım gönderilmesinin nesi günah yaaa? Asıl sen ne biçim hacısın? Daha sevaptan günahtan haberin yok. Köyün çocukları kandil kutlarken iyi, Afrikalı çocuklar açlıktan ölsün... Ohhhhh, ne ala memleket!"

Son sözümü söyleyip çıktım. Çıkarken raftan hızlıca defterimi de aldım.

"Çocukların Yetişkinlerle İletişimde Dikkat Etmesi Gereken Hassas Konular" başlıklı defterime sekizinci maddeyi, aşırı sinirli ve bozuk bir Türkçe'yle yazdım:

8. MADDE

"Sofrada yemek yemeyince, Afrika'da çocuklar aç, yemek bulamıyorlar diyorlar. Hadi yemek gönderelim deyince 'evladım sen niye böylesin...' Asıl siz niye böylesiniz ya, siz niye böylesiniz?

Su istiyorum, 'Sen artık büyüdün, kendin al' diyorlar. 'Kendi başıma yaşamak istiyorum' diyorum, 'Sen daha küçüksün' diyorlar.

Gıcık bunlar ya, bütün yetişkinler aşırı gıcık!"

Bir hafta uğramadım bakkala. Dedem gelmesin diye haber yollamış annemle. "Buna terbiye verin!" demiş. Çok kızdı annem, bir saat söylendi.

"Terbiyesiz" dedi bana. Çok ağırıma gitti.

"Verseydin terbiyemi o zaman, annem değil misin, benim terbiyemi komşular mı verecek?" diye bağırdım.

Terlik attı arkamdan. Kaçtım evden. Zaten bakkala gitmeyecektim. Yorulmuştum.

Evden çıkarken "Asıl senin baban ne biçim bakkal!" diye bağırdım, anneme de palazlandım.

Öteki dedeme gittim. Kahveci Dedeme...

"Biraz sana çalışayım mı?" dedim.

Osman Dayı gibiydim resmen ya. Evde durmayayım, annemin yüzünü görmeyeyim de nerede olur-

sam olayım. Kahveci çırağı olmaya da razıydım.

Bir hafta her gün oralet içtim. Sabah portakallı, öğlen elmalı, akşam karışık... Dedem "Bir çay bardağına bir kaşık oralet koy" diyordu. Bir çay bardağına üç kaşık koyuyordum.

Batsın hepsi! Hiçbirine iyilik yaramıyor nasıl olsa!

Bir hafta sonra sıkıldım. Oralet oralet nereye kadar? İnsanın canı çikolata istiyor, cips istiyor. Kahveci Dedeme sordum o gün.

"Haberin var mı senin? N'apmış Afrikalılara topladığım yardımları, sana söyledi mi?" dedim.

"Haberim yok" dedi.

"Git bir sor ya, ne meraksız dedesin. Ne gamsız dedesin... Kaldım şu kahvede. Hiç mi sevmiyorsun beni? Oraletten içim şişti!" dedim.

Bu dedem dayanamazdı bana. Kabul etti.

Kesme şeker almak için bakkala gitti. Gelince, "Olay kapanmış. Cami imamına vermiş kutuyu, o da camiye giden çocuklara dağıtmış" dedi.

Camide dağıtmış yardımları yaaa, adama bak.

Cami imamına acayip sinir oluyordum, o ayrı meseleydi. Şimdi sırası değildi.

"Kızgın mı bana?" dedim.

"Değil, özlemiş seni. 'Tek başıma yapamıyorum, gelsin yardım etsin' diyor. Git hadi!" dedi.

Yalan söylüyordu.

"Sen ne yapacaksın, tek başına idare edebilir misin kahveyi?" dedim.

Sonuçta bir haftadır bulaşıklarını yıkıyorum, alıştı bana.

"İdare ederim ben, git hadi" dedi.

İdare etsin tabii, bana mı sordu kahveyi açarken, bana mı güvendi, benden bu kadar...

Bakkala topukladım.

Dedem gazete okuyordu koltuğunda.

Bir avuç leblebi alıp şeker sandığının üstüne oturdum. Gazeteyi indirmeden, "Bana da biraz leblebi ver" dedi.

Gazeteyi indirmeden geldiğimi ve ne yediğimi gördü bak, ne değişik adam...

Leblebisini verdim. Sonra bakkalı süpürdüm. Bir haftadır hiç süpürmemiş sanki.

Sahiden **bensiz yapamıyor.**

"Terbiyesizim ama bensiz yapamıyorsun, n'aber?" diyecektim, konuyu uzatmadım.

Geri dönmüştüm...

Bir müşteri var. Vehbi Amca. Ama hiç bakkala gelmeyen bir müşteri. Zaten en iyi müşteri hiç bakkala gelmeyen müşteridir.

Dedem bütün müşterilere **eşit** davranır. Hepsini ne sever, ne de sevmez. Onların hakkında iyi ya da kötü konuşmaz. Ben bunu yapamıyorum. Müşterileri gıcık, çok gıcık, aşırı gıcık ve normal olmak üzere dörde ayırıyorum. En sevdiklerim aşırı gıcık olanlar. Onlar olmasa bakkalı beklemek çok sıkıcı olurdu. Yine de **gelmesinler.**

Bence en güzeli **telefonla sipariş.** Arıyor, ne istediğini söylüyor, varsa götürüyorsun, yoksa götürmüyorsun. Gereksiz kararsızlıklar yok, ürünü eline alıp bakıp bakıp incelemek yok, o var mı bu var mı soruları yok. İstediğini söyle, telefonu kapat, bitti. Fakat bizim bakkalda bu yolla alışveriş yapan tek müşteri var, o da Vehbi Amca. Onun dışında herkes bakkala gelmeye pek meraklı. Çok yaşlı kadınlar bile bastonla falan geliyorlar. Onlara gelmeyin, ben size gelirim, yorulmayın diyorum. Ama en çok da onlar geliyorlar. Geldikleri yetmiyor, bir de başımı belaya sokuyorlar.

Aslında köyde bir sağlık ocağı, bir doktor, bir de hemşire var. Ama yaşlı kadınlar daha çok bana gelmeyi tercih ediyor. Çünkü ben onlardan daha iyiyim.

Yani aslında olay şöyle başladı. Bir gün Lütfiye Teyze geldi. Bir kilo pirinç istedi, ben de verdim.

"Bu ne?" dedi uzatınca.

"Pirinç işte dedim, istedin ya..."

"E ben pirinç mi istedim, bulgur pilavı yapcam ben, pirinci ne yapayım" dedi.

"Yahu pirinç dedin pirinç tarttım. Bulgur desen bulgur tartarım, deli miyim ben?" diye atarlandım.

Atarlanırım çünkü çok haklıyım. Pirinç tartarken çok geriliyorum zaten, etrafa dökülüyor, saçılıyor, beceremiyorum. Zaten olaya sinir oluyorum, bir de yanlış yapmışım şimdi...

Lütfiye Teyze, "Ayyy kusura bakma evladım, çok

başım ağrıyor, ne dediğimi biliyor muyum ben" dedi. "E ilaç içsene?" dedim. Yokmuş evde, ağrı kesici kalmamış, hastaneye gitmeye de üşenmiş.

Duvarda dedemin ilaç poşeti asılıydı.

"Dur ben vereyim" dedim. Karıştırdım poşeti. İki çeşit ağrı kesici vardı. Hangisini vereceğime karar veremedim.

"Tam olarak neresi ağrıyor?" diye sordum. Ensesini gösterdi. "Enseden giren ağrı tansiyon" diyordu anneannem hep.

"Tansiyonun düşmüş senin, ondan ağrıyor başın" deyip teşhis koydum. İki ağrı kesici arasında 'o piti piti' saydım, çıkan ilacı verdim. Bir kilo da yoğurt sattım, ayran yap iç tuzlu tuzlu dedim. Gitti.

Ertesi gün yine geldi.

"O ilaçtan bir tane daha ver" dedi.

"Eczane mi burası?" demedim tabi. Sonuçta bakkalda bulunan her şey satılabilirdi. Paketin üstüne baktım. 20 tane varmış içinde. Paket fiyatı yazıyordu, ben de üstündeki fiyatı 20'ye böldüm, bir sakız parası da kâr ekledim ve verdim. Sonuçta bir çeşit hizmet veriyordum, bir bedeli olmalıydı.

Önce "Aaa! Paralı mı?" falan dedi, geri bırakacak oldu.

"E eczanede bedava mı? Sen bilirsin, benim başım ağrımıyor, seninki ağrıyor" dedim, parasını ödedi ve gitti.

Sonraki gün yine geldi. Ertesi gün Melahat Teyze geldi. Lütfiye yollamış.

"Sende bir ilaç varmış, iyi geliyormuş. Benim bacaklarım çok ağrıyor, bana da ver bir tane" dedi.

"O, enseden giren baş ağrısı ilacı. Sana olmaz. Bacak ağrısının ilacı başka. Ona başka ilaç veriyorum" dedim.

"Ver" dedi, "çok ağrıyor bacaklarım." Kadının canına tak etmiş belli. "Göster" dedim, "neresi ağrıyor?" Diz kapaklarını gösterdi. Çok ağrır hakikaten. Bir kere düşmüştüm, diz kapağım kanamıştı, acayip ağrır. Bilirim o ağrıyı.

"Bekle" dedim, "geç şeker sandığının üstüne otur." Zaten çok yaşlı, bir de bacağı ağrıyor. Hastanede olsa sedyede bekleyecek, geçsin şeker sandığında beklesin.

Nineme gittim. Ninem, dedemin annesi. Çok yaşlı ve çok **sinirlidir.** Doğuştan sinirli, bence dünyaya öyle gelmiş... Sürekli söylenir, uçan sineklerle bile kavga eder. O yüzden ninemden herkes korkar, ama sever beni. Hep bakkaldan ona helva götürüyorum, yemesi yasak... Olsun ben de zaten yasakların adamıyım... İnsan helva da yiyemeyecekse **neden yaşar**, anlamam. O yüzden nineme hep helva götürürüm.

Nineme, "Dedem romatizma ilaçlarını istedi, değiştirecekmiş. Doktor geldi, yenisini yazdıracakmış, verir misin?" dedim. Verdi. **Bedava ilaç baldan tatlıdır** ninem için. Ben de ilaçları Melahat Teyzeye verdim.

"Altı saat arayla iki tane iç" dedim. Bir keresinde hasta olmuştum, doktor iki aspirin arasına altı saat koymuştu. Melahat gitti, ertesi gün tekrar geldi. Yine sattım. **Şifa olsun.** Kötü bir şey yapmıyorum ya, hastaya şifa dağıtıyorum sonuçta.

Sonraki gün Hüsniye Teyze geldi. İshalmiş. Onunki kolaydı. Evden aspirin alıp geldim, gazozun içine attım. İçirip yolladım. Hem aspirin hem gazoz satmıştım. Yarına **bir şeyciği** kalmazdı inşallah.

Böyle böyle nasıl oldu bilmiyorum. Bütün yaşlı kadınlar gelmeye başladı. Tansiyon da ölçüyordum artık. Tansiyon ölçümü daha pahalıydı. Çünkü riskliydi. Evden babaannemin tansiyon aletini aşırıyordum her seferinde. Yakalanırsam yanardım. Ama çok kârlı işti. Çünkü sonunda bir kilo da yoğurt satıyordum. **"Çok düşmüş tansiyonun, hemen tuzlu ayran iç"** deyip gönderiyordum. Hiç yoktan bir **ekmek kapısı** açmıştım.

Bir gün doktor geldi, sağlık ocağının doktoru... Severdi beni o. Ben de ona saygı duyuyordum. Okumuş doktor olmuş sonuçta. Büyük iş. Bana her seferinde, "Büyüyünce ne olacaksın?" diye soruyordu. İçimden, "Yahu sen bari sorma, doktorsun sen, daha güzel sorular sor!" diyordum. Dışımdan da, "Bakkal dükkânı açacağım, bakkalcı olacağım. Ama bunun için büyümeme gerek yok, zaten oldum!" diyordum. Gülüyordu. Bu gerçek onu çok güldürüyordu. Yetişkinler böyledir, sen gerçeği söylersin, onlar güler.

O gün bakkalda onu bulmuşken, biraz bilgi almayı denedim. Boğaz ağrısına ne iyi gelir, idrar yanmasını nasıl anlarız, bir insan iki gündür kusuyorsa bunu nasıl keseriz falan diye sordum. Gülüyordu her soruma. Anneannem bazı insanlar için, "okuya okuya kafayı yemiş" der. Bu da öyleydi galiba. Her soruma gülüyor, ama cevap da veriyor. Boş ver gülsün, cevap versin de...

Dedem kaş göz ediyordu. Sevmez o müşterilerle gereksiz sohbet etmemi. Hele doktorla, öğretmenle, hocayla muhabbete girmemi hiç istemez. Bir şey söylemesine gerek yok kızması için. Gözleri ile kızabilen bir dede o. Gözlerini patlatıp böyle dudaklarını öne çıkartıyor. O zaman "sus artık çabuk" demek istiyor. Ama genelde susmuyorum.

O gün de susmadım, çünkü bu bilgiler mesleki kariyerim için lazımdı. Yakın zamandaki planlarım arasında Kezban Hemşireyi kafalayıp iğne yapmayı öğrenmek de vardı.

Ben sorular sorup doktoru güldürürken kapıdan içeriye enseden ağrılı Lütfiye'yle romatizmalı Melahat girdi. İkisi beraber gelmişler bir de! Deli bunlar! Kaşla gözle "gidin gidin" dedim ama anlamadılar. Gözleri net görmüyor.

"Başım çok ağrıyor benim. Yine başladı. Bak bir haftadır rahattım, yine enseden enseden giriyor" dedi Lütfiye Teyze.

Doktor "Başka neyin var?" falan diye sormaya başladı ama Lütfiye Teyze ona değil bana anlatıyordu. Sonra mikrofonu Melahat aldı. Ağrısı kalçalarına yürümüş. Doktor, "Neredeydi ağrı, nereden başladı?" diye sordu ama o da bana anlatıyordu.

Kaçmayı denedim. Küçücük bakkalda beş kişiydik. Bastonla önümü kestiler. İlaç istiyorlar, canlarına tak etmiş, gece uyuyamamışlar, yürüyemiyormuş, ilaç verecekmişim.

Dedem durumu doktordan önce kavradı. Alışmıştı artık benimle yaşamaya! Doktor ne olup bittiğini çözmeye çalışıyordu. Dedemin burnundan çıkan duman falan değildi, yanıyordu resmen, alev saçıyordu. Sonrası şöyle oldu:

"İlaç mı veriyorsun sen bunlara?"

"Hastalar dede, ağrıları var, uyuyamıyorlar."

"İlaç mı veriyorsun sen bunlara?"

Soru tekrar ediyorsa, durum ciddi demekti. İtiraf ettim.

"Veriyorum, iyi de geliyor."

Doktor araya girdi.

"Kafana göre nasıl ilaç veriyorsun?"

"Kendi kafama göre değil, onların kafasına göre veriyorum. Enseden giriyor ağrı. Tansiyon. Ölçüyorum zaten, hep düşük çıkıyor."

"Tansiyon da mı ölçüyorsun?"

"Her zaman değil, gerektiğinde. Mesela bak Melahat Teyzenin romatizması var, onunkini ölçmüyorum, değil mi Melahat Teyze?"

Topu onlara attım. Onlar savunurdu beni şimdi. Savundular. Doktor bunlardan hep tahlil istiyormuş. Gidemiyorlarmış hastaneye zavallılar. Benim haplar iyi gelmiş. Rahat uyku yüzü görmüşler.

"Hem de ucuz" dedi. "Tek tek satıyor, öyle daha ucuz oluyor" dedi.

Onu demese iyiydi. Azıcık yumuşar gibi olan dedemin tepesinin tası yine atmıştı.

"Bi de parayla mı satıyorsun? Evladım sen niye böylesin? Kime çektin sen? Yavrum sen niye böylesin?" diye arka arkaya sayarken kapıdan Ninem girdi.

"Şükrü! Benim ilaçlar nerde? Aldın getirmedin? Anan ölse haberin yok. Git bana ilaç al. Sızım sızım sızlıyor bacaklarım" dedi.

Dede de olsan, senin de annen var işte. Bastı mı azarı sana herkesin içinde! Oh olsun dedim, oh olsun, beter ol.

O arada dedemden **yırttım** ama doktora yakalandım. Bir saat konuştu. Yanlış ilaç kullanımı nelere sebep olabilirmiş onları anlattı. Dinledim. Yere baka baka dinledim. Yerdeki şekilleri bir şeylere benzettim, yerdeki taşları saydım falan. Karşıdan çok iyi bir dinleyici gibi görünüyordum. Ama aklım Vehbi Amcadaydı.

Söz vermiştim, bu akşam siparişleriyle beraber ona mide hapı götürecektim. Midesi yanıyormuş. Doğru ilacı Vesile Teyzemde bulmuştum. Hamile Vesile Teyzem. Onun da midesi yanıyormuş. Vesile'ye olan ilaç Vehbi'ye haydi haydi olurdu. Ceplerimi falan karıştırmasa şu doktor diye düşündüm, karıştırırsa ilaçları bulurdu. Az daha nasihat etti, bıraktı.

"Oku da doktor ol, herkese ilaç yazarsın" dedi.

"Yav ben okumadan doktor olmuşum. Seni sollayıp geçmişim, senin hastalar bana geliyor. Bak Lütfiye'yle Melahat'a! Dimdik ayağa kaldırdım" diyemedim tabi. "Peki özür dilerim" dedim geçtim.

Yetişkinler kendilerinden özür dilenmesine bayılır. Ben de diledim. Lafı uzatmanın yeri değildi, Vehbi Amcanın midesi cayır cayır yanıyordu.

Vehbi Amca köyün dışında tek başına yaşıyor. Yalnız, tek başına. Evi köye çok uzak. Bir sürü köpeği, bir ağaç evi, bir de mezarlığı var. Gerçekten!

Anne babasını köyün mezarlığına gömdürmemiş, evinin bahçesinde yatıyorlar. Biraz tırsıyorum oraya giderken. Ormanın ortası, köpekler cirit atıyor, bahçede iki ölü var. Ama seviyorum Vehbi Amcayı. Çünkü söylemiştim, en sevdiğim müşterim. Hep sarı gazozla bisküvi istiyor. Bana da bir bardak veriyor, iki de bisküvi alıyorum, ağaç evde yiyoruz. Hep iki bisküvi alıyorum, daha hiç üç tane almadım. O yesin...

Çok konuşmuyor Vehbi Amca. Ama dinliyor. Ben de ona olanları anlatıyorum. Sonuçta bir sürü şey oluyor köyde ve ben bütün gün bakkalda, kahvede bunları dinliyorum. Bana hiç sus demiyor. Dedem olsa bin kere kaş göz işareti yapar. O yok ya, rahat rahat atıyorum Vehbi Amcaya.

O gün olanları da anlattım. "Doktor beni takdir etti. 'Ben bu kadar zeki çocuk görmedim, biz yıllardır yanlış yapıyormuşuz. İnsanları önce sağlık ocağına çağırıyoruz, sonra tahlil için hastaneye yolluyoruz, sonra ilaç yazıyoruz, eczaneye yolluyoruz. Zaten hasta ve yaşlılar bir de biz yoruyoruz. En iyisi senin yaptığın, bütün hizmetleri tek bir çatı altında toplamışsın. Üstelik bunu bakkalda yapıyorsun' dedi ve tebrik etti, sana da selam söyledi," dedim. Mide ilacını verdim.

Vehbi Amca köpeklerine ekmek attı beni dinlerken. Ben de onun anne babasına dua ettim. Bana hep '"terbiyesiz" diyorlardı ama mezarlara dua okunacağını biliyordum.

Geri dönerken düşündüm. O doktor bir kere daha, **"Büyüyünce ne olacaksın?"** diye sorarsa, "Vehbi Amca olcam!" derim.

Ne güzel yaaa. Ormanda bir başına...

Başında kaşı gözü ayrı oynayan dedesi yok, "yemek ye" diyen annesi yok, doktor yok, Melahat yok, Lütfiye yok...

Evet, en iyisi Vehbi Amca olmak...

Bakkal çırağı olmanın en havalı ve en güzel tarafı "**mal arabası**"nın içine elini kolunu sallaya sallaya giriyor olmaktır. Mal dediğimiz şey, bakkaldaki ürünler. Mal arabası da işte ürünlerin bakkala getirildiği arabalardır. Mal arabaları haftada ya da on beş günde bir kez gelir. Eksiklerimizi sorar, yeni ürünler bırakır.

Mal arabaları, arkası kapalı kamyonettir ve içerisi seyyar bir bakkal dükkânı gibidir. İçeriye girer ve "Bana bir kutu şundan, bir kutu bundan ver." dersin. Satmayan ürünler için "Yok onlar satmıyor, kalsın." dersin. Buraya kadar havalı bir şey yok tabii. Olay, mal arabasının içine yeri biri girdiğinde başlar. Satıcı dedeme, "Yeni bir ürün geldi denemek ister misin?" diye sorar. Önce bu ürünü birinin denemesi gerekir ve böyle durumlarda dedem beni çağırır. Der ki, "Gel tat bakalım, güzelse alalım."

Çok büyülü bir cümle... Bir çikolatayı ilk tadan kişi olmak için arkadaşlarının arasından kalkıp yavaş yavaş mal arabasına yürümek, sana uzatılan çikolatayı yavaş yavaş, tadını çıkara çıkara yemek ve sonucu bildirmek...

a) Güzelmiş alalım.

b) Beğenmedim, almayalım.

Düşünsene bütün bir köyün çocuklarının o çikolatayı yeme kaderi senin ellerinde. Ben hayır dersem onu yeme ihtimalleri yok. Arkadaşlarıma kıyamadığım için hiçbir çikolatayı geri çevirmedim. Hepsine "Çok güzelmiş, alalım!" dedim. Ve yeni ürün bakkala gelir gelmez ilk kutusu o gün tükendi. Çünkü zaten çok az yeni ürün geliyordu, yeni bir şey çıkana kadar çocuklar diğerinden bıkmış oluyorlardı.

Vakitlerinin büyük kısmını, bakkal önünde oturarak geçiren çocuklar için bu ciddi ve önemli bir yenilikti. Ve ben onlara bu yeniliğin kapısını açan kişiydim. Çok havalı!

Bir gün mal arabasının içinde yine öyle yavaş yavaş çikolatamı yerken bütün köye haksızlık ettiğimi düşündüm. Ne bencil insanlardık biz ya! Hep dedemin yüzündendi. Bakkalda o ne isterse onu satıyorduk, çocuklar ben ne istiyorsam onları yiyorlardı. Olmazdı böyle. Bu düzene bir dur demeliydim. İhtiyacım olan tek şey biraz defterdi. Ve elimizde bolca defter vardı.

Okullar açılacağı zaman kırtasiye rafının altındaki rafları da boşaltıyordu dedem. Kalem, pergel, cetvel, defter, kalem kutusu, mürekkep, divit... Bir öğrencinin ihtiyaç duyabileceği her şeyi koyuyorduk rafa. Defterler çok yer kaplıyordu. O yüzden okullar açıldıktan sonra az miktarda defter bırakıp geri kalanını depoya kaldırıyorduk.

Bir önceki sene bana bir koli defter verdi dedem. "Bunları al depoya götür" dedi. Henüz onun çırağı falan değildim, ama torunuydum, o yüzden dediğini yapmak zorundaydım. Ben de aldım götürdüm, bulduğum bir yere bıraktım. Sonra da bir daha depoya uğramadım.

Sonraki yıl, '"Defterleri getir de dizelim" dedi. Depoya gittim. Kolinin ağzı açık kaldığı için aşırı derece tozlanmış defterler. Şimdi kesin, "Sen kutunun ağzını kapatmadın mı?" diye bana kızacaktı. Ben de tozunu alayım defterlerin diye silmeye başladım. İlk iki defter zaten tozdan görünmüyordu, onları uygun bir zamanda yakarak ortadan kaldırırım diye sakladım. Ama defterleri elime aldıkça şoktan şoka giriyordum. Bitmiştim ben. Fena hâlde bitmiştim. Bugün kesin ölürdüm. Ya da evden kaçardım. Ya da dedem beni kovardı. Durum çok kötüydü, çok.

Kutunun içine fareler girmiş ve bütün defterleri azar azar kemirmiş! Dedem içeriden, "Hadi yavrum getirsene defterleri" diye sesleniyordu ama ben olayın etkisiyle yerimden kımıldayamıyordum.

Derken dedemin nefesini ensemde hissettim. Gelmiş... Orada dikiliyor... Arkamda.

Fare meselesinin tek iyi yönü vardı. Defterleri kemiren fare, kutuyu da kemirebilirdi. Yani kutunun ağzını açık bırakan kişiyi suçlamanın bir anlamı yoktu. Sorun tamamen defteri buraya koyduran kişiden kaynaklanıyordu. Yani iki suçlu var: Dedem ve fareler! Eğer dedemden önce atak yaparsam fare yenikli defter meselesinden alnımın akıyla çıkabilirdim. Sesime hafif tok ve suçlayıcı bir ton ekleyip dedeme döndüm.

"Offff dede yaaa, senin aklına şaşayım ben! Defterler hiç buraya konur mu? Beğendin mi yaptığını, fare yemiş hepsini, cık cık cık!" diye öterken dedemle göz göze geldim. Şimşek çakıyordu bakışları. Onun verdiği cevabı duymadım bile. Topukladım... Arkamdan bağırıyordu. Benimki de iş yani. Dede suçlanır mı? Üstelik bakkal onun. İsterse farelere yedirir defterleri, isterse kendi yer.

Bana ne oluyorsa?

Sonuçta o gün dedem gidip yeni defterler aldı. Ve fare yenikli defterler, "İyi bunlar, satılmaz ama kullanılır, bizim çocuklar kullansın" talimatı verildiği için bana ve kuzenlerime kaldı. İyi yaaa! Hem kutunun ağzını kapatmayacaksın, hem farelerin olduğunu bile bile defterleri depoya yollayacaksın, hem de ben yırtık defterle okula gideceğim. İyiymiş valla, ne akıllıymış dedem!

Ohhh ne âlâ memleketmiş.

Dedem cumartesi günleri pazara gider ve bakkalı bana bırakır. Demek ki bakkal birine bırakılabiliyor, demek ki ben de istediğim zaman bakkalı birine bırakabilirim. Ben de o Cumartesi bakkalı kuzenime bıraktım. Zaten her ürünün üstünde fiyatı yazıyor, ben de zaten yarım saate gelirdim.

Farelerin yediği defterleri yüklendim ve bütün köyü kapı kapı dolaştım. Çok güzel bir paragraf yazmış ve ezberlemiştim. Hepsinde aynı şeyi söylüyordum.

"Bakkalımız size hizmet vermekten mutluluk duymaktadır. Daha iyi hizmet verebilmemiz için lütfen bakkalda görmek istediğiniz ürünleri buraya yazın. Şikâyetlerinizi ve önerilerinizi yazın. Görüşleriniz bizim için değerlidir."

Buna benzer bir metni köftecide okumuştum. Babamlarla lunaparka gittiğimiz zaman köfteciye de girmiştik. Söylemiştim, ambalajların üstündeki yazıları okumaya bayılırım. Masanın üzerinde bir kâğıt vardı, oraya böyle bir şeyler yazmışlardı. Ben de bizim bakkala uyarladım.

Dedem gelmeden koşa koşa bakkala döndüm. Nefes nefese kalmıştım ama defterlerden kurtulmuştum. Üstelik müşterilerimizin fikirlerini almak gerçekten önemliydi.

Bir hafta sonra bir gün bakkala geldiğimde dedemi kapının önünde beklerken buldum. Elleri arkasındaydı. Konuştuk. Bana, "Annen nerede, niye geç kaldın, baban işe gitti mi, kahveci deden kalktı mı?" falan gibi bir sürü soru sordu. Hepsini cevapladım. Ama kapının önünden çekilmiyordu. İçeriye giremiyorum. Elleri de arkasında bağlı, elinde ne var göremiyordum.

"Bana bir sürprizi var da arkasında mı saklıyor ki?" diye düşündüm ama hiç dedeme göre hareketler değildi. Boş yere hayal kurmasam iyi ederdim.

Sonunda dayanamadım. "Ver elini öpeyim?" diye kolunu çektim. Böylece hem elini öper, elinde ne olduğunu görür, hem de bakkala giriş izni alabilirdim. Ama elini yakalayınca ne kadar büyük bir hata ettiğimi anladım.

Üç tane defter tutuyordu elinde. Üç fare yenikli defter!

Sonrası şöyle oldu:

"Al, sana gelmiş bunlar."

"Aaaa, ne güzel defter, geri mi getirmişler?"

"Oku bak ne yazıyor?"

"Bakkaldan memnunuz. Bakkal çırağından memnun değiliz. Geçen gün bana, 'Önce bayatlar bitsin, taze ekmek satmıyoruz' dedi ve bayat ekmek sattı. Tarihi geçmiş bir ürünü geri götürdüm, 'Nereden bileyim tarihinin sizin evde geçmediğini? Evde bekletip bekletip bize getiriyorsunuz' dedi. Bakkal çırağının daha nazik olmasını bekliyoruz."

"Beğendin mi kendini?"

"Yalan yaaa! Yalan hepsi. Biliyorum bu adamı. Hakkı Abi değil mi? Hakkı Abi? Veresiye yazdırıyor hep, ben de yazmıyorum. Kinlenmiş bana, hıncını alıyor. **Sen de inandın.**"

"Evladım bu defterleri niye dağıttın sen insanlara? Deli misin sen? Niye saçma sapan işler yapıyorsun böyle? Neler yazmışlar. Müşteriye 'ne istiyorsun' diye sorulur mu?"

"Sorulur. Anket yaptım ben. Yapmak zorunda kaldım. Kakaladın bana fare yenikli defterleri. Herkes güzel kaplı defter kullanırken ben yırtık defterle mi gitseydim okula? 'Kıza bak yırtık defterle okula geliyor' mu deselerdi? Benim suçum mu fare yediyse, ben mi yolladım fareleri? Hep bana kızıyorsunuz, hep ben suçluyum, hep bana yırtık deftöeöeeer!" diye ağlamaya başladım.

Sinirlenince ağlıyordum. Bu huyumu hiç sevmiyordum. Ama işe de yarıyordu. Konu kapanıyordu. Bu sayede yine kapandı. Yalnız Hakkı'dan intikamımı alırdım. Bugün değilse seneye ama alırdım...

Çeşmeci Dede

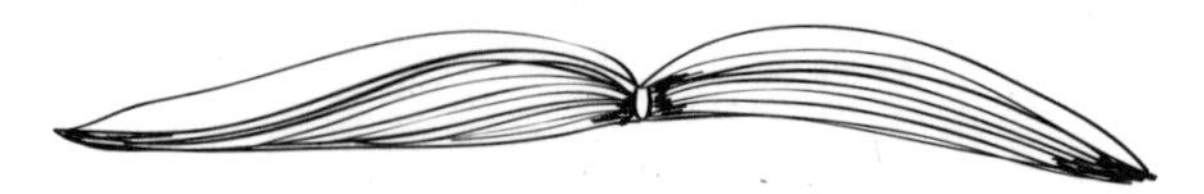

Bakkal caminin tam karşısında... Dedem ezan okundukça camiye gidiyor. Bakkala uğradığı yok. Gün boyu ezan okunsa o hep camiye gider. Köydeki çocuklar da camiye gidiyorlar. Orada köy imamı onlara dersler veriyor. Beni camiye gidişleri değil, camiden **çıkışları** ilgilendiriyor daha çok. Çünkü camiden çıkar çıkmaz bakkala geliyorlar. Bir sürü bir şeyler alıyorlar. Öğlen camiye girip akşam çıkıyor çocuklar.

Akşama kadar bakkala uğrayan bir tane bile çocuk yok. Sinir oluyorum.

Bakkala gelen çocuklara, "Bence siz hocayla konuşun, teneffüs uygulaması yapsın. Bütün gün içeridesiniz, **canınıza yazık.** İki kere de teneffüse çıkın, bakkala falan gelirsiniz, ağzınız tatlanır. Yine gidersiniz camiye, biraz hava alın ya!" dedim.

Her gelen çocuğa söyledim ve sonunda başarılı oldum. Biz çocuklar hep bir ağızdan konuşunca hindi gibi ses çıkartırız. Hepsi bir ağızdan **"teneffüs, teneffüs, teneffüs isteriz!"** diye ötünce tabii Hoca kızmış. Fikrin kimden çıktığını araştırmaya başlamış. Çok da uzun sürmemiş zaten araştırma, hemen vermişler adımı.

O öğlen dedemle beraber cami çıkışı hoca da geldi.

"Bu çocuk hep bakkalda Hacı Abi. O da gelsin camiye, iyi olur" dedi.

Dedem zaten böyle bir teklifi bekliyormuş. Hemen, "Olur tabii yollarız" dedi.

Olur tabii yollarız mı?

Peki ben, benim fikrim?

Benim düşüncelerim? Bakalım ben gitmek istiyor muyum? Allah'ım dede olmak ne keyifli iş yaaa! Herkesin adına karar verebiliyorsun. Dedeysen kral sensin! Oh ne âlâ memleketsin!

Ertesi gün yolladılar. Dün oturduğum yerde, dedemin camiden çıkmasını bekliyordum, bugün kendimin camiden çıkmasını bekliyorum.

Üstelik teneffüs de yok! Kendi kazdığım kuyuya kendim düşmüştüm.

İçerisi çok kalabalık olduğu için, eğitim gayet zayıftı ve hocanın seninle ilgilendiği anlar çok kısıtlıydı. Bana sıra geldiğinde hızlıca Elham, Kulhuvallah, Subhaneke'yi okuyor sonra bir köşede Çokomel kâğıdından ayraç yapıyordum.

Sıkıntıdan patlamak üzereydim!

Bir gün hoca camiyi süpürmemizi istedi. Çocuklar koşa koşa süpürgeleri alıp başladılar süpürmeye. Benim ömrüm süpürgeyle geçmiş, bakkalı süpür, kahveyi süpür... Oldu, gelip bir de camiyi süpüreyim. "Hayatta süpürmem" dedim. Sonuçta okula gidiyorduk normal günlerde, o zaman okulu biz mi süpürüyorduk? Yooo. Eee, yaz tatilinde camiye gelince, camiyi neden biz süpürüyoruz? Kendim süpürmediğim gibi süpürenleri de engelliyordum. **Zaten teneffüs de yok!**

Bir haftanın sonunda hoca çeneme dayanamadı. "Alın bunu camiden Hacı Abi" deyip yolladı. Dedem şaşırmadı. Ama tuttuğu işin ucunu bırakacak gibi de değildi.

"İyi madem, Hüsniye Abla evinde ders veriyor. Ona git, ondan öğren" dedi.

Ooooo, severdim onu. Bakkala gelip gidiyor, tanıyorum. Çok muhabbetçi kadın. Ona olur dedim, giderim. Her sabah abdestimi alıp, başımı örtüp, kapalı giyinip, boynuma Kur'an çantamı asıp kadının evinin yolunu tutuyordum. İstiyordum ki aynı özeni o da göstersin. Ama göstermiyordu. Yaşlıydı. Habire çişi geliyor, tuvalete gidip abdestini tazelemeden bana Kur'an öğretiyordu. Yanlıştı! Daha önce öğrendiklerimle çelişiyordu. Her gün eve gidip evdekilerle kapışıyordum.

"Kadın abdestsiz Kur'an öğretiyor bana yavvvv. Nasıl hoca bu? Nasıl öğreneyim ben, nasıl?" diye ağlıyordum. Kurallara başta o uymuyordu. Babaannem, "Onu beğenmedin, bunu beğenmedin, cahil kalacaksın bak çocuk!" diye atarlanıyordu. Ben de üstümü başımı yırtar gibi çıkartıp, "Böyle öğreneceksem hiç öğrenmeyeyim!" diye karşı atar yapıp soluğu anneannemde alıyordum. İki gün beni görmezse özler, göndermekten vazgeçer diyor ve hakikaten de her seferinde başarılı oluyordum. Anne yüreği dayanmadığı gibi, babaanne yüreği de dayanmıyordu. Sonunda değiştirdiler hocayı.

"Olmaz böyle" dedi Kahveci Dedem. "Söylene söylene gidecekse, hiç gitmesin. Akşama konuşayım, Kara Mehmet'e gitsin."

Tanıyordum adamı. Çok ciddi hocaydı, hep camın önünde oturuyor, gelene geçene bakıyordu. Gölün karşısındaydı evi. Oradan çıkar göle giderim diye düşündüm.

"O olur" dedim, "ona giderim."

Gittim. Gidecektim de. Ciddiydim. Bu kez bırakmayacaktım. Ama Arapça **ayın** sesini gırtlaktan çıkartamıyordum. Bir türlü olmuyordu. Adam ayın'a takmıştı, ayın olmadan olmaz diyordu. İnat ediyordum evde, "r'leri söyleyemeyince Türkçe okuyamıyor muyuz, ne alakası var" diyordum. Ve haklıydım! Ama hoca olan oydu, elbette ki onun dediği oluyordu. Sonunda ayın yüzünden onu da bıraktım.

Son çare Çeşmeci Dede dediler.

"Çeşmeci Dede mi? Onun kendine hayrı yok, çok yaşlı" dedim. Tavırları çok netti, "Çeşmeci Dede'ye git, sana Kur'an öğretsin, öğrenmeden de gelme başka hoca kalmadı" dediler. Gittim.

Bembeyaz sakallı, boncuk gözlü, çok yaşlı bir dede Çeşmeci Dede. İnsanın karşısına sadece rüyalarda çıkacak kadar sevimli bir ak sakallı dede. Her sabah gidiyorum, iki harf okuyoruz, "Bak sana ne anlatcam, bir gün ben küçükken..." diye başlıyor anlatmaya Çeşmeci Dede. O kadar ihtiyar ki, kendi çocukluğunu hatırlıyor sadece ve çok güzel anlatıyor. Zaten bayılırım hikâye dinlemeye, onun anlattıklarını masal gibi dinliyorum. Çeşmeci Dede anlatıyor, ben ona bakıp ayrı bir âleme gidiyordum. Anlatıyor anlatıyor, sonra uyuyakalıyordu.

Yalnız yaşıyor Çeşmeci Dede, üstelik de yaşlı. O uyurken ben de evini temizliyordum. Çıkışta da, şekerlikten bir tane şeker alıp köyde dolaşıyor, sonra da bakkala gidiyordum. Çeşmeci Dede mutlu, ben mutlu! Kendime en uygun yaşam şeklini sonunda bulmuştum.

Ama tabii çok uzun sürmedi rahat ve konforlu hayatım. Bir akşam anneannemler, babaannemlere yemeğe geldi. Biz de gittik. Bu durumları hiç sevmiyordum. Herkes bir arada... Kaçacak delik yok. Sıkışıp kalıyordum. Bir o dedem çekiştiriyordu, bir bu dedem. Annemle babam zaten tepemde. Anneannemle babaannem de lafa karışıyordu. Teyzemle halam da arada bir şeyler söylüyordu. İyice başım dönüyordu kalabalıktan. Neyse yemekte uslu durursam kimse bana bulaşmaz dedim, hiç sesimi çıkartmadım, uslu uslu yemeğimi yedim.

Bakkal Dedem, "Hadi yavrum, bir sofra duası oku" dedi.

Sözlüye kalkmış ve çalışmadığı yerden soru gelmiş tembel öğrenci gibi baktım dedeme.

"Hadi yavrum, çekinme, hadi" diye dürttü annem.

"Bilmiyor musun yoksa?" dedi anneannem.

"Bilmez olur mu canım, Çeşmeci Dede öğretmiştir," dedi babaannem.

"Gitmiyor musun yoksa?" diye şüpheyi düşürdü akıllara teyzem.

Gıcık yaaaa! Halama baktım. **Ağlayacaktım.** Halama, "Kurtar beni Allah sevdiğine kavuştursun" bakışları atıyordum. Anladı.

"Biliyordur da, belki başka bir dua etmek istiyordur" dedi halam.

Hay aklınla bin yaşa dedim içimden. Boğazımı temizleyip başladım.

Hoş geldiniz soframıza,

Tuz atmayın çorbamıza.

Ekmek banma fasulyeye,

Biraz da şu turşudan ye.

Ne güzel hep beraberiz,

Tatlıyı da çok severiz.

Artsın eksilmesin,

Taşsın dökülmesin.

Soframızın bereketi,

Hiç mi hiç bitmesin.

Amin.

Dedim ama buz gibi bir hava esti. Aylardan eylüldü, zaten okullar açılacaktı. Bütün yazı, tüm hocaları değerlendirerek geçirmiştim. Yaz bitmişti. Kahveci Dedem, daha fazla kıvranmama dayanamadı.

"Neyse seneye yazın, yeniden başlatırız camiye, bu sene bitti zaten" dedi.

Halam tatlıları getirdi, konu kapandı.

Bence sofra duam gayet güzeldi. O gece defterime bu duayı da not ettim.

Almancılar

Yazın bazen köye uzun uzun kornaya basan arabalar geliyordu. Daha köyün girişinde kornaya basmaya başlıyorlar, eve gidecekleri yere kadar aynı şekilde "Düüüüüt düüüüüüüt, düttürü düüüüüt!" diye bütün insanları merakla kapının önüne çıkartıyorlardı. Ben de bakkalın önüne fırlıyordum.

Almanya'da yaşayan insanlar memleketine dönüyorlardı. Yaz tatillerini geçirmek için geliyorlar ve sevinçlerini de kornaya basarak gösteriyorlardı.

Ben Almanya'dan gelenler arasında en çok İbrahim Amcamı seviyordum. Dedemin yakın arkadaşıydı. Zaten doğru dürüst bakkalda durmayan dedem, o gelince iyice seriyordu işleri. Akşamları da onunla yürüyüşe çıkıyordu. "Gel keyfim gel"di dedeme, oh ne âlâ memleketti.

Ama İbrahim Amcamı sevdiğim için ses etmiyordum. İbrahim Amcam bana çikolata getiriyordu

Almanya'dan. Aşırı fındıklı çikolata. Bizim çikolatalarımızda fındık bile kullanmıyorlardı. Ben biliyorum hepsini, dedim ya, abur cubur ambalajlarını okumak gibi gereksiz bir huyum var diye. Sığır jelatini, lesitin, nebati yağ, peynir altı suyu... O sığır jelatiniyle peynir altı suyu nasıl iğrenç gelirdi bana anlatamam. Eğer çikolata yerken aklıma gelirse tiksine tiksine yerdim yediğim şeyi, ama yine de yerdim. Galiba gerçekten pisboğazdım.

Bir gün İbrahim Amcamla dedem yürüyüşe gittiler. Ben de bol fındıklı Almanya çikolatamı alıp bakkalın önüne çıktım. Başka çocuklar da vardı. Onlarla çikolatamı paylaştım. Birer parça çikolata verdim. Ama bir parça çikolata bir çocuğu asla kesmezdi. Gidip içeriden yenisini alacaklarını adım gibi biliyordum. Derken Almanya'dan gelen çocuklardan bir tanesi koşa koşa bakkalın önüne geldi. Bizi görünce durdu.

"Ben doooom günü kutlaycaaaam, siz de gelceeeniz miiii?" diye yayık yayık bir Türkçe ile davet etti bizi.

Atladık tabii hemen. O güne kadar hiç doğum günü

kutlamasına gitmemiştik hiçbirimiz. Köyde böyle şeyler çok olmazdı. Yani galiba hiç olmazdı. Biz de ona onun gibi cevap verdik.

"Geeeelceeeeeez!"

Almanya'dan gelen çocuklar tatilleri bitip de döndükten sonra biz bir süre onları taklit ediyorduk. Evet, galiba biraz kötüydük.

Ertesi gün doğum gününe gittik. Anne babası yaş pasta almışlar. Yaş pasta! Ulaşılmaz lezzet...

Bildiğimiz tek yaş pasta, bisküvinin üstüne puding dökülerek yapılan pastaydı bizim. Görselliğe önem veren anneler kat kat yapıp üstüne de renkli pasta süsleri döküyorlar, yerken kıtır kıtır daha güzel oluyordu. Görselliğin ne olduğunu bile bilmeyenler ise bisküvileri kırıklayıp pudingi öyle döküyorlardı üstüne, donduruyorlar, adına da mozaik pasta diyorlardı!

Ama bu başkaydı. Üstünde mumlar yanıyordu. Hepimizin gözleri pastanın üzerindeydi. Gazoz da almışlar pastanın yanına, sarı gazoz da var. İmkânlar sınırsız.

O gün yedik içtik, deliler gibi yedik. Ben zaten sabahtan bakkalda kendime aşırı abur cubur yüklemesi yapmıştım. Bir de doğum gününde yemiştim. Sahiden pis boğazdım. Bize bir sürü de Almanya çikolatası verdiler, onları da yedik.

Dönerken bütün çocuklar, "Keşke bizim de böyle doğum günümüz olsa..." dedi. Hepimiz biraz üzülmüştük. Çocukları bakkalın önüne topladım. Hepsinin doğum gününü bir kâğıda not ettim. Aklımda dehşet bir fikir vardı. Bundan sonra doğum günü kutlamaları organize edecektim. En yakın doğum günü iki gün sonraydı. Hülya'nın doğum gününü kutlayacaktık. İki gün bana bal gibi de yeterdi.

Bu iş için bir desteğe ihtiyacım vardı. Yeterli desteği halamdan aldım. Gittim anlattım.

"Gariban bir çocuk var, doğum günü çocuğun, yazık çok özeniyor. Ben sana malzeme getireyim, sen bize bir pasta yap. Götürelim sevinsin. Allah sevdiğine kavuşturur" dedim.

Kabul etti. Bakkaldan süt, kakao, bisküvi falan götürdüm, halama pastayı yaptırdım.

En zor iş mekândı. Çocukları eve davet edemem. Ben giremiyorum gündüz eve, onlar nasıl girsin? Dağıtma, bozma, kırma, yapma, etme... Bu iş evde olmazdı.

İbrahim Amcamla konuştum.

"Kahveci Dedem dedi ki, 'Hep Bakkal Dedenle İbrahim Amcan gidiyorlar yürüyüşe, beni de çağırsınlar. Ben de gideyim, bacaklarım açılır,' dedi. Yazık onu da çağırın" dedim.

Güldü. Ama dediğimi yaptı. Dedem kahveyi çırağına bıraktı, gitti. Arkalarından, "Merak etmeyin, ben buradayım, her şey yolunda, ikisini de idare ederim, bol bol yürüyün, iyi gezin" dedim.

Gittiler.

Bakkalın kapısını kilitleyip halamdan pastayı aldığım gibi kahveye koştum. Çırağa da "Dedemin haberi var!" dedim. Yoktu, ama nasıl olsa gelince öğrenecekti. Ve bu dâhiyane fikrimden dolayı beni tebrik edecekti.

Kahvenin masalarını birleştirdim. Bakkaldan bir sürü balon, kurdele falan getirmiştim. Duvarları süsledim. Hülya ve diğerleri geldiler. Hülya'nın gözleri yuvalarından fırladı. Ağlayacaktı neredeyse. Gerçek bir doğum günüydü. Ve bedavaydı. Ondan para almayacaktım. Çünkü bu bir denemeydi. Eğer tutarsa bundan sonra herkese paralı doğum günü kutlamaları yapacaktım. Ama tabi çocukların içtikleri her şeyi babalarının hesabına yazdım. Pasta bedavaydı tamam ama içeceklere para almak lazımdı.

Bütün gün eğlendik. Bakkalı da kapalı unuttum. Biraz tatil benim de hakkımdı.

Çok geçmeden **üç silahşörler** gözüktü. İki dedem ve bir İbrahim Amcam...

Kahveci Dedem, "Noooluyo burda yaauuvvv?' diye sordu.

Bakkal Dedem, "Bakkalda kim var?" dedi.

Kahveci Dedem, **"Ammaa dağıtmışsınız yaaauuvvvv"** dedi.

Bakkal Dedem, "Senin başının altından çıktı bunlar değil mi?" dedi.

Çocuklar tek tek toz oldu. Kahvenin ortasında bir başıma kaldım. İbrahim Amcam lafa karışmıyordu.

"Hep Almanyalılar yüzünden. Geliyorlar böyle düt düt düt, bir sürü fındıklı çikolata, bir sürü süslü doğum günü... Canımız istedi. Biz insan değil miyiz? Gelmesinler madem. Bizim bakkalda çikolata mı yok, niye getirdin İbrahim Amca sen o çikolataları, ha, bir söyle, niye getirdin?" diye ortaya karışık bir açıklama yaptım.

Kimse bir şey anlamadı. Ezan okundu.

Ohhhhhh çok şükür ezan okundu. Hepsi camiye koştu. Pis ve dağınık kahvehaneyi çırağa bırakıp kaçtım. Bana ne? Temizlesin. Ben de bakkalı temizliyorum bütün gün...

Dua etsin, Gıcır Şükriye kahveye denetime gelmiyor...

Kaptan Dayım

Ticaret hayatına erken yaşta atılmış ve günümün büyük bölümünü çalışarak geçiriyor olabilirim ama sonuçta bir sürü de boş vaktim var. Dedemin inatla, bakkaldan çıkmadığı zamanlar oluyor. Öyle zamanlarda bakkal koltuğuna çakılıp kalıyor. Sadece hızlıca camiye gidip geliyor. Onun dışında çıkmıyor bakkaldan dışarı. Öylece oturuyor koltukta, saatlerce... Gıcık oluyorum. Çünkü o bakkaldayken rahat rahat bir şeyler yiyemiyorum. Oysa benim orada bulunma sebebim bu! Yiyeceğim ki kafam çalışsın! Ama yok, gitmiyor...

Öyle zamanlar boş zamanlar işte. Şeker sandığının üstüne oturup pinekleyip duruyorum. Bazen, "'İyi madem, sen gitmiyorsan ben giderim" deyip fırlıyorum bakkaldan. Biraz çocuklarla oynuyorum ama çoğu zaman sıkılıyorum. Eve gitsem hiç canım sıkılmaz aslında, çünkü hiç boş vaktim olmaz. Annem:

"Kalk sofra kurmama yardım et!"

"Kalk sofrayı toplamama yardım et!"

"Şunu yapıver!"

"Bunu yapıver!"

"Şuraya şunu götürüver" diye arka arkaya işleri sıralar.

Eve gidersem onun elinden kurtulamam, o yüzden hiç gözüne gözükmüyorum. Ben de Kaptan Dayımlara gidiyorum. Kaptan Dayılar babaannemlerin yan komşusu. Kaptan Dayının gemisi, dümeni, mürettebatı falan yok. Köydeki futbol takımının kaptanı olduğu için ona öyle diyorlar. Benim için kaptan olmasının da bir önemi yok zaten, ben daha çok vitrindeki **kitaplarla** ilgileniyorum. Onun okuduğu gazete haftada bir gün kitap veriyor, o da onları vitrine diziyor.

Kitapları önce bakkalda okuyorum. Dedim ya, gazeteler bakkala geliyor, biz dağıtıyoruz, dedem gazeteleri sahibinden önce okuyor, diye. Ben de gitgide ona benziyorum işte. Gazetenin içinden çıkan kitapları sahiplerinden önce okuyorum. Sonra da

gidip sahiplerinin evinde okuyorum. Belki kitapları bana verir diye her akşam mutlaka Kaptan Dayılara uğrayıp kitap okuyorum. Sabahın köründe gidiyorum. Benden bıksın ve "Al şu kitapları da git evinde oku!" desin diye değişik planlar yapıyorum. Bazen yüksek sesle okuyorum. Bazen yere yatarak okuyorum. Münasebetsiz zamanlarda gidip okuyorum. Onlara misafir geliyor mesela, ben de gidip salona oturuyorum, kitap okumaya başlıyorum. Hani belki rahatsız olur da beni evden kovar, kitapları da arkamdan atar diye bekliyorum ama yapmıyor. Aşırı sabırlı bir adam.

Yan komşumuz olduğu için annem de beni rahat buluyor. Bahçeden, "Neredesin sen yinee? Eve gel çabuuuuuk!" diye bağırınca bir dakika içinde evde olabiliyorum.

Kahveci Dedem, bazen çarşıya gezmeye giderken beni de götürüyor. Daha doğrusu o çarşıya gezmeye gidiyor, gideceğini fark ettiğim zaman ben de onun peşine takılıp, "Beni de götüüüür!" diye yalvarıyorum.

"Götürürüm ama bir şey istemeyeceksin" diye şart koşuyor. Yetişkinlerin bu şartlı iyiliklerine deli oluyorum.

Söz verince götürüyor. Ama burnumdan getiriyor. Sırf beni denemek için, oyuncakçının önünde durup yere diz çöküyor. Ayakkabılarının bağcığını söküp yeniden bağlıyor. Sonra pastanenin önünde tekrar yere diz çöküyor. Ayakkabılarının bağcığını söküp yeniden bağlıyor. Aynı şeyi kıyafet dükkânlarının önünde, pamuk helvacının başında da yapıyor. İstemiyorum. İstemeyeceğim diye söz verdim. Sözümde durduğumu görünce yumuşuyor, dönüşte oyuncak da alıyor, pamuk helva da! Zafer benim işte!

O gün çarşıya çıkarken yine peşine takıldım. Sonra dedemle bir yere gittik. Bir sürü müdürün olduğu bir yer. Bu adam bilmem nerenin müdürü, şu adam bilmem nerenin müdürü...

Bir tanesi İlçe Milli Eğitim Müdürü'ymüş. Elindeki poşette bir sürü kitap vardı. Adam bana bütün yetişkinlerden beklediğimiz o soruyu sordu.

"Büyüyünce ne olacaksın?" dedi. Bu fırsatı kaçıramazdım.

"İlçe Milli Eğitim Müdürü olacağım!" dedim. Şaşırdı adamcağız. "Ama nasıl olurum bilmiyorum, bir tane bile kitabım yok. Almıyorlar. Her gün Kaptan Dayılara gidip gidip kitap okuyorum, artık ezberledim" dedim ve Ayşegül serisinin bir kitabından hatırladığım cümleleri saydırdım.

"Ayşegül'le Can böyle yağmurlu günlerde tavan arasında oynamayı çok severlerdi" dedim ve adam beni susturdu. Dedeme bir sürü söz söyledi. "Çocuklar okumalı, kitap önemli, çocuklara kitap almıyor musunuz?" falan dedi. Bana elindeki kitaplardan tam 5 tane verdi, dedeme de kitapçının yerini tarif etti. Derin bir nefes aldım. Aslında dedeme, "Bana kitap alır mısın?" desem alırdı, ama ben böyle istemeyi daha çok seviyordum.

Dönüşte, kitapçıdan beş kitap da dedem aldı. On tane kitabım oldu, acayip rahatladım. Artık canım sıkılmayacaktı ve Ayşegül'den de Kaptan Dayımdan da kurtulmuştum. Ama kitaplar bir hafta içinde bitti. Aynı numarayı tekrar çekemezdim. En iyisi elimdeki kitapları çıkartıp yenisini almaktı. Sonuçta tek mağdur çocuk ben değildim. Köydeki diğer çocukların da kitabı yoktu. Son iki hafta Kaptan Dayının gazetesinden çıkan Ayşegül kitaplarını da vermemiştim, gelip sorarsa ve satılmamışsa verirdim...

Bakkalın önüne yere çuval serip tezgâh açtım. Kitaplarımı dizdim. Kutulardan karton kesip "Kitap Ruhun Gıdasıdır" yazdım. Ama sonra bu slogandan korktum. Çok değişik çocuklar vardı, okuduğunu kesin yanlış anlayan ve bir daha bakkaldan sadece kitap alıp gıda almayan olabilirdi. Ben de sloganı değiştirdim, **"Kitap Ruhun Gıdasıdır Ama Sen Çikolata Da Al"** yazdım. Hem kitap hem çikolata alsınlar, birini satacağım diye diğerinden olmayayım.

İlk iki kitabı sattım. İki katı fiyatına... Normalde ikinci el kitabın daha ucuz olması gerekiyordu. Ama burası normal bir yer değildi. Gitsin normal yerden alsın o zaman... Sonra dedem geldi. Kahveci Dedem. Çok ters baktı bana. "Beni bunun için mi rezil ettin İlçe Milli Eğitim Müdürü'ne" diyordu bakışlarıyla.

"Sen biraz zor İlçe Milli Eğitim Müdürü olursun bu kafayla" dedi. Tam ona atarlanacaktım, Bakkal Dedemle Kaptan Dayı geldi. Bakkal Dedem tezgâhtaki iki Ayşegül kitabını gördü. "Kaptan'ın kitaplar mı onlar?" diye sordu homur homur. Resmen iki kitabın peşine düşmüş Kaptan Dayı, yazıklar olsun! Tam onlara açıklama yapacakken, Kahveci Dedem de "İyi ticaret öğretmişsin buna, bak kitapları bana aldırdı sende satıyor" deyince Bakkal Dedemin **nevri döndü.** Kitapları elinden zor kurtardım. Kitapları satamadım ama belki ileride kütüphane kurardım. Ama paralı...

Alternatif Arayışlar

Ne yapsam olmuyor! Yaptığım tüm ticari girişimler hüsranla sonuçlanıyor. Üstelik her seferinde aptal yerine konuyorum.

Vişneli soda ile kimse ilgilenmedi.

Çikolata ambalajlarının içine not bırakmak insanları kızdırdı.

Külahlı çekirdek projesi başlamadan bitti.

Kartpostallarıma yan bile bakmadılar.

Işıklı tabela uygulamasıyla satışa sunduğum mumlar dedemin bakışlarıyla söndü.

Hakkı'nın yaptığına bak yaaa? Sana daha iyi hizmet vereceğim diyorum, beni dedeme şikâyet ediyor. Bir halkın tamamı mı reklamdan anlamaz? Espriye bu kadar mı kapalı olur?

Ticaretten anlamayan iki adam: Biri Bakkal Dedem, diğeri Kahveci Dedem! İkisinde de sıfır ticari kafa ama ikisi de köyün en önemli iki ticaretha-

nesini işletiyorlar.

Nasıl iş bu?

Kafama koydum,

kendi işimi yapacaktım.

Kahveye gidiyorum. Bulaşıkları yıkıyorum, gazoz açıp ikramını yapıyorum. Boşları topluyorum. Sandalyeleri düzeltiyorum. Karşılığında ne alıyorum?

ORALET!

Bakkala gidiyorum. Bütün gün yer sil, kutu yerleştir, müşteriyle ilgilen, bakkal defterini incele, aşırı güler yüz göstermek için kendini zorla... Karşılığında ne alıyorum?

ÇİKOLATA!

Bu mu senin adaletin dünya?

Benim ticari fikirlerimi önemsemeyen bu ticarethanelerde daha fazla durmamam gerektiğini anladım. En iyisi kendi işini yapmaktı. Oturup düşünmeye başladım. Genelgeçer meslekler vardı. Bunların içinde yapabileceklerim var, yapamayacaklarım var.

Sayalım: Öğretmenlik, polislik, doktorluk gibi meslekler iyi. Güzel para var. Ama yapamam. Ciddi bir eğitim süreci var ama benim o kadar vaktim yok. Üstelik ben sezonluk iş arıyorum. Yazın çalışıp kışın okula gideceğim. Bunlar olmaz. Üstelik bu mesleklerde ticari zekâmı da kullanamam. Öğrenciye not kağıdı mı satacağım? Suçluya kelepçe mi satacağım? Doktor olsam; ilacı gerektiği kadar yazmam lazım. Ticaret olsun diye iki kutu fazla yazamam. Zaten doktorluğu denedim, olmuyor, yapamadım. Bu meslekleri bu sebeple geçiyorum.

Köyde insanların ihtiyaçlarını karşılayacak başka dükkânlar açabilirim. Züccaciye, tuhafiye, nalbur...

Bakkal Dedem bu alanları önceden öngörmüş. Hepsine bir raf ayırmış. Bakkal mıyız, tuhafiye mi? Nalbur muyuz bakkal mı? Akıllıca davranmış, hepsine az az yer vermiş. Ona rakip olmak zor iş.

Müşterinin ayağı artık oraya alışmış, zarar ederim.

Berber var köyde. İki tane aynı dükkândan açmak saçma olur... Derkeeeeen kafamda bir ampul yandı. Berber var ama kuaför yok! Kadınların saçını kesecek kimse yok! Bu kadar kadın saçını kestirmek için başka bir ilçeye gidiyor. Gitmesinler. Bu çileye bir son vereceğim!

Aklıma gelir gelmez babaanneme koştum. Babaannem terzi. Onda makas bolluğu var. Birkaç makas ortadan kaybolsa kimse anlamaz. Makaslardan birini alıp bahçeye sakladım. Şimdi bana acemiliğimi atacak 'saç' lazımdı.

"Bobannneeeee, bobaaannnnneee!"

"Yavruuuuum."

"Oyuncak bebeğim vardı ya hani, nerede o? Uzun saçlı olan."

"A aaaaa! Bebekle mi oynıycan, koca kız oldun..."

"Evcilik oynamak istiyorum bobanne, oynayayım biraz, çok sıkıldım, hadi bul şunu."

Ne yapacağımı söylesem vermez şimdi. Babaannemi beklerken, "Çocukların Yetişkinlerle İleti-

şimde Dikkat Etmesi Gereken Hassas Konular"
defterime aceleyle dokuzuncu maddeyi ekledim.

9. MADDE

"Bu yetişkinler böyledir. Sana oyuncak bebek alırlar ama saçını kesemezsin, yüzünü boyayamazsın.

Araba alırlar, 'Ben bunun tekerleklerini çıkartıp arabanın içine çamur dolduracağım' dersen izin vermezler, elinden alırlar.

Onlara göre bebek bebektir, araba arabadır. Bebeğin saçını tarayabilirsin, ama kesemezsin.

Kimin koyduğunu bilmedikleri kurallarla yaşamaya fena halde alışmış zavallılar."

Bebeği verdi, çok zorlamadı. Dolaba kaldırmış. Alıp bahçeye çıktım. Bebeğin saçlarını biraz tarayıp makası dayadım. Kısacık kestim saçlarını. Erkek saçı gibi oldu. Biraz yamuk kestim ama ilk seferinde olurdu o kadar. Derken babaannem geldi. Derin bir, "Naaaaptıııın sen?" dedi.

"Yav bebek benim değil mi?" diye çıkıştım.

"Seninse senin. Deli misin evladım? Niye böylesin sen? Böyle mi oynanır bebekle? N'apcaz bu saçları şimdi? Şu rezilliğe bakar mısın? Annen nerede?" diye taramalı tüfek gibi soru taramaya başladı.

Babaannem böyleydi. Soru sormaya başladıysa durduramazsın, cevap versen yetişemezsin. En iyisi ortamdan uzaklaşmaktı. Bebeği orada bıraktım, makası aldım, koşa koşa evden çıktım. Arkamdan, "N'apçan o makası? Nereye gidiyosun? Benim makasım mı oooo?" diye gönderiyordu soruları. Yakalayamazdı beni, kaçtım.

Arkadaşım Miray'ın evine gittim. Miray iyi kızdı, macerayı severdi. Benim için biçilmiş kaftandı. Ya da en azından biçilecek kaftandı.

"Miray acayip bir fikrim var ama önce yardımına ihtiyacım var?" dedim.

Merakla baktı.

"Saçını kesebilir miyim? Kuaför dükkânı açacağım. Seni de yanıma çırak alacağım. Ama önce senin saçını keselim, önce biz güzel görünelim.

Ticarette çok önemli kuraldır. Yaptığın iş seni yansıtmalı. Mesela bak kasaplara, hepsi kiloludur, iri yarıdır. Zayıf kasap olur mu? Olmaz! Bak aşçılara, hepsi duba gibidir. Zayıf aşçı olur mu? Olmaz. Kuaför dükkânı açacaksak önce bizim saçımız güzel olmalı, otur önüme" dedim.

İkna oldu. Söylediklerim çok mantıklıydı çünkü. Miray'ın saçlarını suyla ıslattım. Bebeğin saçlarını ıslatmayı unutmuştum, belki de o yüzden olmamıştı. Yoksa saç var, makas var, kuaför var... Neden olmasın?

Saçları ıslatıp üç bölüme ayırdım. Katlı kesim yapacaktım. Önce en tepedeki saçları ayırdım, sonra onun altındaki saçları, en son da en alttakileri. Ve kestim.

Kabul etmek gerekirse iğrenç oldu. Ama ticaretin altın kurallarından biri de, "Kendi ürün ve hizmetini müşteriye kötülememekti."

"Harika oldun Miray, bu saç sana çok yakıştı" dedim.

Ama inanmadı. Aynaya bakınca deli gibi ağlamaya başladı.

"Ben şimdi anneme ne diyceeeeem" diye ağlıyordu.

Of Allah'ım neydi bu annelerden çektiğimiz? Kızın saçı iğrenç olmuş, ben şimdi arkadaşlarımın arasına nasıl çıkacağım diye düşünmüyor da, anneme ne diyeceğim diye ağlıyor...

Miray'ın yanından uzaklaştım. Ağlasın o. Ağlar ağlar susar. Gittikçe anneme benziyordum bak, o da ben ağlarken öyle diyordu. Babam yanıma gelmek, susturmak istiyordu ama annem, "Şımartma şunu, ağlar ağlar susar" diyordu. Miray da öyle yapsın, ağlasın ağlasın sussun. Bana ne? Benim işim başımdan aşmış...

Bisikletime binip uzaklara gittim. Ne kadar uzağa gitsem o kadar iyiydi. Gittim, gittim, gittim. Anneannemlerin mısır tarlasının karşısında durdum. Orada tulumba var, tulumbadan su çektim, biraz su içtim. Tam karşımda kocaman bir armut ağacı vardı, tarla bizim değil, Vedat Amcaların tarması. Gidip bir tane armut koparsam Vedat Amca bana kızmazdı. Gazeteyi kesince kızmamıştı, armuta niye kızsın?

Bir tane armut yedim. Offf acayip güzeldi. Şeker gibi... Bir tane daha yedim. Sonra ağacın altına oturup düşünmeye başladım. Dayımın ders kitabını karıştırırken görmüştüm. Newton'un kafasına elma ağacının altında otururken elma düşmüş ve yer çekimini bulmuş. Benim de armut ağacının altında otururken belki kafama bir şey düşer ve bir şey bulurdum. Ve buldum. Hayatımın fikrini buldum! İşte şimdi tamamdı, yeni mesleğimin temellerini atabilirdim.

Ağaca çıkıp armut toplamaya başladım. Bir sürü armut topladım. Şans yüzüme gülmüştü, tulumbanın orada boş bir çuval görmüştüm. Gidip o çuvalı aldım. İçini armutla doldurdum. Çuvalı sürükleye sürükleye taşıyordum. Bisikletimi mısır tarlasına bıraktım. Hem çuvalı hem bisikleti taşıyamazdım.

O gün cumaydı. Cuma günleri köy çok hareketli olur. Ve en hareketli yer tabi ki caminin önüdür. Bu fırsatı kaçıramazdım. Çuvalı eve kadar götürdüm, kollarım kopmuştu resmen ama başarmıştım. Bahçeden kocaman bir sepet aldım ve armutları içine döktüm. Bakkaldan biraz poşet aldım. Dedem poşetleri aldığımı görürse köpürürdü. Daha önce dedemin poşete verdiği önemden bahsetmiştim. Neyse, poşetlerim ve sepetimle beraber caminin önüne gittim. Bir tane de tabure aldım kendime. Ohhhh! Satış için hazırdım.

"Armuuuuut, bal armuuut, şeker armuuuut. Armuuuut var."

Camiden ilk çıkan adam Cevat Abiydi, bir tane armut aldı.

"Güzel mi armut?" dedi.

"Güzel" dedim, "bağırıyoruz ya deminden beri."

Bir tane alıp gitti. Tadacaktı tabi.

Tatmadan olmazdı.

"E beğenmedin mi?" dedim.

"Yok ben armut sevmem" dedi.

"Sevmiyorsun da neden yedin madem!" diye bağırdım arkasından.

Sonra Necati Amca, Kadir Dayı, Ahmet Abi, Mehmet Abi, Recep Enişte, Hasan Dayı... Hepsi sırayla camiden çıktılar. Hepsi tattı ve hiçbiri almadı. Gittikçe azalıyordu armutlarım. Sonunda camiden bizimkiler çıktı. Kahveci Dedemle Bakkal Dedem. Tehlike çifter çifter geliyordu. Yanıma geldiler.

"Hayırdır?" dedi Kahveci Dedem.

"Armut satıyorum, tartayım mı bir kilo?" dedim.

Tartım yoktu henüz. Ama bakkala yakın bir yerdeydim sonuçta. Bakkalın terazisini kullanacaktım böyle bir durumda. Ama dedem çalışmadığım yerden sordu.

"Armutları nereden buldun?" dedi.

Doğru söylemek durumundaydım. Vedat Amcaların tarladan topladığımı söyledim.

"Habersiz mi?" dediler.

"Yani habersiz ama sorun olmaz, kızmaz Vedat Amca" falan diye gevelenirken dedem aldı yürüdü. "Evladım sen niye böylesin, evladım sen kime çektin, terbiyesiz misin..." falan.

Kahveci dedem de başladı bu sefer:

"Bıktık senden" dedi, "bıktık!"

Dondum kaldım o anda.

Aklımda tek bir kelime yankılanıyordu.

"Bıktık..."

Ağlamaya başladım. Sinirden ağlıyordum. Bir tekme savurdum armut sepetine.

"Ben de bıktım" dedim, "ben de kendimden bıktım."

Armutlar için aldığım poşetleri de bakkal dedeme attım.

"Sen de al poşetlerini başına çal" dedim.

Ağlaya ağlaya eve gittim. Babaannemle annem kapıdaydı.

"N'aptın makasımı?" dedi babaannem.

Ağlıyordum ben ve o, "N'aptın makasımı" diyordu.

Annem, "O bebeğin hesabını soracağım ben sana" diyordu.

Ağlıyordum. Bıkmıştım kendimden.

Kime çekmiştim ben?

Neden böyleydim hakikaten?

Odaya girip kendimi kilitledim. Akşama kadar gelen giden olmadı. Pek de umurlarında değildim anlaşılan. Akşam birkaç kere yemeğe çağırdılar. Çıkmadım. Zaten armut haberi annemle babama da ulaşmıştı. Çıksam daha onlar kızacaktı.

Ağladım, ağladım, ağladım. Yatağın altına girip de ağladım. Sonra yatağın altında defterimi buldum. Oraya saklamıştım, kimse görmesin diye. Unutmuştum.

Oturdum, onuncu ve son maddemi yazdım:

10. MADDE

"Belki de haklılar. Onlar yetişkin ama ben çocuğum. Benim hiçbir şey bilmediğimi sanıyorlar. Hiçbir şeye üzülmediğimi, işimin gücümün yaramazlık olduğunu sanıyorlar. Bir gün onlara çok yanıldıklarını göstereceğim. Bunun için okumam lazım. Okuyacağım, sınıf birincisi, hatta okul birincisi olacağım. Üniversiteye de giderim. Hepsinin ağzı açık kalır. Görür onlar... Hani hep bana 'sen kime çektin' diye çemkirip duruyorlar ya... İşte o gün sıraya girecekler, 'Bana çektin, aynı bensin, bana çok benziyorsun' diyecekler. Bugün 'bıktım senden' diyenler, o gün benim için ağlayacaklar... Göreceksin...

Şimdilik hoşçakal defterim.

Bunlarla vakit kaybedemem, çok işim var, daha büyüyüp adam olacağım..."

Defteri yatağın altına sokup odadan çıktım. Uslu uslu gidip sofraya oturdum...

Tam da bütün yetişkinlerin biz çocuklardan beklediği gibi...

Ve Yıllar Sonra

Bakkal çıraklığım, zaman zaman kesintiye uğrasa da **tam 20 yaz sürdü.** 20 yıl boyunca her yaz dedeme çıraklık yaptım. Bu süre içinde bakkalda, köyde, bende, hayatta çok şey değişti.

Dedem yaşlandı. Gözlüksüz gazete okuyamıyor, teraziyi kullanamıyor. O yıllarda olan pek çok ürün yok artık. Jeton yok mesela, çünkü herkesin cep

telefonu var. Beyaz çorap giyen insan yok mesela... Külahta dondurma yok... Çamaşır suyu için Akif Suyu diye inat eden kimse kalmadı. Gıcır Şükriye, Enseden Ağrılı Lütfiye, Romatizmalı Melahat öldü, helva delisi ninem öldü. Canım İbrahim Amcam öldü. Vehbi Amca öldü. Onu da kendi bahçesine gömdüler. Ara sıra gidip sarı gazoz içiyorum mezarının başında. Kahveci Dedem kahveyi devredeli çok oldu. Beğenmediğim oralete hasret kaldım...

Akıllı birileri çıkıp vişneli sodayı keşfetti, ben demiştim... Çok satıyor, ben de alıyorum. Çekirdekler ambalajlı satılıyor, ben demiştim... Organik ürün çılgınlığı yaşanıyor marketlerde... Bunu da demiştim... Her yerde doğum günü organizasyonları yapılıyor çılgınca. O günlerde beni dinleselerdi, köşeyi dönmüştük bugün... Bakkalın ikinci katını kesin çıkmıştık...

İyi ki de dinlememişler. İyi ki de çıkmamışız ikinci katı... Dayanamazdı dedem yoksa...

Geçen ay beni aradı. Telefonu açar açmaz...

"Kapatıyorum dükkanı" dedi.

"Nasıl? Neden? Ne zaman? Ne oluyor? İyi misin?"

diye sıraladım soruları. Eskiden olsa o sorardı.

Yorulmuş. 35 yıl işletmiş bakkalı.

"Artık emekli olacağım, sabah erken kalkamıyorum, gece geç saate kadar bakkalı açık tutamıyorum. Yoruldum, çok yoruldum" dedi.

"Kabul et, bensiz yürütemiyorsun" dedim.

Güldü.

"Kabul ediyorum. Gittin, beni yalnız bıraktın bu deli müşterilerle" dedi.

Ben başka bir şehirde yaşıyorum artık. Deftere yazdığım son maddeyi uyguladım. Okudum. Çok çalıştım. Okul birincisi olmadım ama üniversiteye gittim. Yazar oldum. Ağızları açık kaldı.

Bana zamanında, "Kime çektin sen" diyenler şimdi, "aayynı ben" diyorlar.

"Hıııı" diyorum içimden, "aynı sen!"

Olanları unuttum mu sandınız? Unutmam...

Çocuklar asla unutmaz, büyüseler de unutmaz...

"Çocuk kalbi affeder ama asla unutmaz!"

Bakkal Dedem gençken bakkalın önünde

Bakkal Dedem ve Müdür